내가 변하면 뇌도 변한다

치매를 막는
마법 노하우

내가 변하면 뇌도 변한다

치매를 막는
마법 노하우

발 행 일	2024년 8월 15일
지 은 이	박우연
편 집	권 율
디 자 인	김현순
발 행 인	권경민
발 행 처	한국지식문화원

출판등록	제 2021-000105호 (2021년 05월 25일)
주 소	서울시 서초구 서운로13 중앙로얄빌딩 B126
대표전화	0507-1467-7884
홈페이지	www.kcbooks.org
이 메 일	admin@kcbooks.org
ISBN	979-11-7190-042-8

내가 변하면 뇌도 변한다

치매를 막는
마법 노하우

박우연 지음

치매!
아는 만큼 멀리할 수 있다.

적절한 예방과 관리를 통해 치매 발병을 늦출 수도 있고 안 오게 할 수도 있다.
우리는 더 나은 노년을 살기 위한 전략으로 치매를 잘 알고 대처하는 지혜를
가지는 것이 노후 풍요로운 삶의 첫 번째 비법 중의 비법이다.

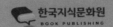

한국지식문화원
BOOK PUBLISHING

프롤로그

치매, 아는 만큼 예방할 수 있다!

인류는 과학의 발전과 의학의 진보로 인해 평균 수명이 늘어나고 있다. 이에 따라 우리는 더 긴 노년을 살 수 있게 되었고, 건강한 백 세를 누리고 싶은 것은 누구나의 희망이다. 그러나 이 긴 수명은 동시에 노화와 질병의 도전도 함께 가지고 왔다.

그중에서도 고령으로 인해 증가하는 불청객 치매의 발병은 우리와 사회를 두렵게 만든다. 치매는 영혼이 멈춘 사람도, 곁에서 이를 지켜보며 돌보는 가족도 삶이 파괴되는 병이다.

그러나, 아직도 많은 사람이 치매에 대한 정확한 정보와 예방법을 모르고 있다. 나는 오랜 시간 치매 예방을 위해 연구와 교육, 강연, 강의를 해왔다. 다양한 증상의 치매 환자를 현장에서 수없이 만나며 얻은 소중한 경험과 그동안 배운 지식을 이 책에 담고자 한다.

그 이유로는 퇴행성 뇌 질환 치매의 한 종류인 알츠하이머병이 발견된 지 120년 가까이 되었지만, 인간은 여전히 이것을 완전히 고치는 법을 찾지 못하고 있다. 뇌에 아밀로이드와 타우라는 독성 단백질이 쌓여 인지 기능을 담당하는 영역에 악영향을 미쳐 치매가 발생한다는 정도일 뿐 근본적인 발병 기전은 아직 정확히 밝혀지지 않고 있다. 치매는 원인이 다양하고 신경세포로 이루어진 뇌의 복잡한 특성이기 때문이다. 이렇듯 '치매는 치료보다 예방'이 지금으로서는 최선책이기 때문이다.

'치매는 아는 만큼 멀리할 수 있다.' 적절한 예방과 관리를 통해 치매 발병을 늦출 수도 있고 안 오게 할 수도 있다. 우리는 더 나은 노년을 살기 위한 전략으로 치매를 잘 알고 대처하는 지혜를 가지는 것이 노후 풍요로운 삶의 첫 번째 비법 중의 비법이다.

이 책의 내용은 치매를 예방하는 다양한 측면을 다루고 있다. 여러 연구와 전문가의 의견, 현장에서 직접 느끼고 체험한 사례, 공부한 내용을 종합하여, 치매를 두려워하지 않고 미리 알고 대비할 수 있는 예방법을 쉽고 자세하게 소개한다.

뇌가 건강하게 기능하고 기억이 향상되는 다양한 방법, 적절한 식습관과 생활 습관의 중요성, 정신적, 사회적 활동의 필요성과 치매 환자와의 행복한 동행 법, 백년두뇌를 위한 뇌 활성화 법 등을 다룬다.

치매에 대한 정확한 이해와 실천할 수 있는 예방법을 통해 우리 자신들은 물론 우리 사회가 치매로부터 자유로워질 수 있기를 바라는 것이 집필의 목적이며 평소 나의 직업 철학이라고 말하고 싶다.

치매는 예방이 가능한 질병인 만큼, 적절한 지식과 습관을 지니고 실천해 나간다면 우리는 그 두려움을 넘어 건강하고 행복한 노년을 즐길 수 있다. 책을 통해 건강한 백 세 시대의 비밀을 열어, 모두가 치매를 막는 파수꾼이 되기를 바라며 글을 시작한다.

2024. 짙은 초록을 편애하는 때
치매예방지기
박우연

TABLE OF CONTENTS

1장.

알면 답이 보이는 치매!

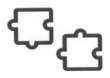

치매는 세상에서 가장 무서운 병일까?

모든 것은 정의를 먼저 내려야 할 것이다. 세상에서 가장 무서운 병이라는 치매는 라틴어에서 유래된 말로서 '정신이 부재한 상태(out of mind)'를 의미한다. 한자로는 '어리석다(痴:치)'와 '미련하다(呆:매)'로 표현된다.

태어날 때부터 지적 능력이 모자라는 경우를 정신지체(mental retardation) 라고 부르지만, 치매란 '정상적으로 생활해 오던 사람이 후천적인 다양한 원인으로 인해 기억, 언어, 판단력 등의 여러 영역의 인지기능이 지속적이고 전반적으로 저하되어 일상생활에 상당한 지장이 나타나는 상태를 말한다.' 과거에는 노인성 치매를 망령, 노망이라고 부르면서 노인이면 당연히 겪게 되는 노화 현상이라고 생각했으나 최근 연구를 통해 증명된 것은 인지력을 관장하는 대뇌에 뇌신경 세포가 손상이 생기면서 나타나는 뇌 질환이다.

여기서 인지 기능이란 문제해결 능력, 지남력, 지각, 판단력, 주의 집중력, 기억력과 지능, 학습 능력, 언어기능 등 정보처리를 위한 모든 뇌 활동(사람이 사람답게 사는 데 필요한 능력)을 말한다. 그리고 치매는 어떤 하나의 질병이 아니라, 특정한 조건에서 여러 증상이 함께 나타나는 증상들의 묶음을 말한다. 그리고 치매는 생명 능력이 없어지는 것이 아니라 여러 가지 인지기능이 저하되어 생활 능력이 없어지는 것으로 생각하면 쉽게 이해될 것이다.

치매는 아니지만 치매와 비슷한 증상을 보이는 가성치매와 섬망이 있다. 가성치매는 치매와 매우 유사해 보이지만 실제로 뇌 상태를 검사해 보면 뇌에 이상이 없는 상태로 보통 노인성 우울증에서 나타난다. 우울증을 앓는 노인의 일부는 가성치매로 나타나는데 기억력, 집중력 등 인지기능이 떨어진 모습을 보여주기 때문에 그 증상을 치매로 잘못 판단할 수도 있다. 가성치매는 급성으로 나타나며 환자의 컨디션에 따라 나빠지거나 좋아지기를 반복하고 진행이 빠르다. 그러나 신경퇴행성 질환인 치매는 기억력이 서서히 나빠지는 경향이 있다.

가성치매 환자는 본인의 증상을 매우 과하게 호소하고 힘들어한다. 실질적인 인지기능 저하보다 주관적으로 느끼는 저하가 더 크다. 가성치매 환자는 무엇을 물어보면 귀찮아하고 '모른다'고 하는 데 비해 치매 환자는 대부분 틀린 답을 어떻게든 애쓰면서 대답하려고 한다. 가성치매는 우울증과 그 원인을 찾아서 치료하면 좋아질 수 있어서 가역적(본디의 상태로 돌아갈 수 있는 것)이다.

섬망은 큰 수술 후에나 노인에게 많이 나타난다. 치매와 비슷한 증상으로 의식과 인지기능 전반의 장애와 정신병적 장애가 나타난다. 섬망의 경우에는 원인이 해결되면 며칠 내로 좋아진다. 섬망의 증상 중하나로 환시를 경험한다. 벽을 보고 누가 있다고 하는 등 하루 동안에도 증상이 심하게 변동하는 편이다. 치매와 다른 점은 섬망은 급성으로 나타나고 퇴행성 치매는 수개월에 걸쳐 증상이 생긴다. 증상의 심각성이 치매는 큰 변동이 없이 일정한 편인 것이 섬망과 다르다.

치매를 유발하는 원인 질환은 70~90여 가지에 이른다고 한다. 다양한 치매 원인 질환 중에서 가장 많이 차지하는 비율로는 '알츠하이머병'과 '혈관성 치매'이다. 그 밖에도 퇴행성 뇌 질환들과 다양한 원인 질환에 의해 발생하는 치매들이 있다.

치매에 걸리면 인지장애가 일어나는 4가지 단계가 있다.
정상-주관적 인지장애-경도인지장애-치매 순이다. 이처럼 정상과 치매 사이에는 두 가지 단계가 있다. 주관적 인지장애와 경도인지장애이다.

주관적 인지장애는 "최근에 깜빡깜빡하시거나 기억력이 예전 같지 않으시는가요?"하고 물어보면 "네"라고, 대답한다. 저 역시 이런 대답을 할 것이다. 이렇게 주관적으로는 인지장애를 호소하나 객관적인 검사에서는 괜찮을 때 주관적 인지장애라고 한다. 위험 수준은 아니라는 것이다.

경도인지장애는 뒷부분에서 자세히 설명하겠지만 경도인지장애 상태로 진단을 받았을 때는 6개월 정도마다 인지기능 검사를 하면서 추적관찰을 잘하여 대응하면 치매로 넘어가는 것을 막을 수 있는 아주 중요한 단계라고 말할 수 있다.

알츠하이머병에 의한 치매만 있을까?

　치매의 종류는 보통 어르신들에게 물어보면 우리나라 치매 환자 4명 중 3명을 차지하는 알츠하이머병 치매만 알고 계시는 분들이 많다. 그 이유는 알츠하이머병 치매 환자가 큰 비중을 차지하고 있는 까닭일 것 이다. 하지만 알츠하이머병 치매는 퇴행성 뇌 질환에 의한 치매 종류 의 일종이다.

　치매의 종류는 다양한 원인에 의해서 오는 것이라서 그 종류가 많 다. 원인이 다양한 만큼 대책도 다양하다는 것을 알면 좋다. 한번 걸 리면 돌아올 수 없는 불가역적 치매도 있고 초기에 서둘러 원인을 제 거하면 돌아오는 가역적 치매도 있다. 어떻게 접근하느냐에 따라 치매 의 양상이 달라진다. 우리가 걱정하는 미운치매가 될 수도 있고 가족 과 함께 오래도록 같이 살 수 있는 예쁜치매도 될 수 있는 것이다.

*가역(본디 원래 상태로 돌아갈 수 있다)성 치매란?

완치가 가능한 원인 질환에 의해 발생한 치매로, 원인 질환을 조기 치료하면 다시 정상으로 돌아올 수 있는 경우의 치매를 말한다. 그러나 치료가 가능하다 할지라도 그 적절한 시기를 놓치면 당연히 뇌 손상이 되어 계속 치매로 진행하게 된다.

*가역성 치매의 종류

뇌종양, 뇌 수두증, 지속성 간질, 우울증에 의한 가성치매, 감염성질환, 갑상샘 기능 저하증 등의 내분비 질환, 비타민B12, 철 등의 결핍성 질환, 알코올 중독, 약물과 연관된 중독에 의한 치매 등이 가역성 치매에 해당한다.

대표적인 치매 유형을 알아보자.

-퇴행성 뇌 질환에 의한 치매

알츠하이머병, 전두측두엽치매, 픽병, 파킨슨병, 헌팅턴병, 루이소체병 등이다.

-뇌 혈관성 치매

뇌혈관 질환에 의해 뇌 조직이 손상되어 발생하는 뇌경색, 뇌출혈을 말하는 뇌졸중과 한의학에서 말하는 중풍의 원인으로 발생하는 치매이다.

-감염성 치매

AIDS(에이즈), 신경매독, 뇌막염, 세균성 뇌염 등의 원인으로 오는 치매이다.

-대사성 장애에 의한 치매

간성 뇌병증, 요독증, 갑상샘기능 저하증, 저혈당, 저산소증 등이 원인으로 오는 치매이다.

-결핍에 의한 치매

비타민B12 결핍, 엽산 결핍 등으로 오는 치매이다.

-독성 물질에 의한 치매

약물중독, 알코올중독, 일산화탄소, 중금속 중독 등이 원인으로 오는 치매이다.

-외상성 원인에 의한 치매

교통사고나 기타 사고로 인해 두부 손상 등의 원인으로 오는 치매이다.

강의를 하시는 분들에게 도움이 될지 몰라 중간중간 현장 강의 이야기를 넣는다.

시니어를 대상으로 설명해 드릴 때는 이 부분을 다 알려드릴 필요는 없다. 제일 흔한 치매 두어 가지 정도만 알려드리면 좋다. 시니어 교육에서는 한꺼번에 이론적인 부분을 많이 알려드려서 공부처럼 느껴지게 해서는 안 된다. 어르신 대상자들에게 다 알려드린다고 해서 모두 이해하지도 못하시기 때문이기도 하다.

어르신 교육은 가르치는 교육이 아니라 놀아주는 교육이 되어야 한다. 그렇다고 아무 의미 없이 놀아주는 것이 아니라 놀면서 뇌를 활성화해 드려야 한다. 대상자가 느끼기에는 공부가 아닌, 놀면서 치매 예방이 되었다고 생각되게 하였다면 훌륭한 전달이 되었다고 할 것이다. 강사는 내가 가져야 할 지식과 가르쳐야 할 지식을 구분할 줄 아는 것이 중요한 부분이다.

치매 이전 단계인 경도인지장애와 흔한 치매 유형 몇 가지를 좀 자세히 짚어보자.

〈경도인지장애(Mild cognitive impairment)〉
경도인지장애는 앞에서도 잠깐 서술했지만, 기억력이나 기타 인지기능의 저하가 객관적인 검사에서 확인될 정도로 뚜렷하게 감퇴한 상태지만 일상생활을 수행하는 능력은 보존되어 있어 아직은 치매가 아닌 상태로서 정상 노화와 치매의 중간 단계이다. 빨리 치료하면 치료가 극대화될 수 있다는 점이 중요하다. 즉, 평생 쓸 수 있는 건강한 뇌를 만드느냐 마느냐를 결정짓는 중요한 분기점이다. 경도인지장애는 시간이 지날수록 알츠하이머병으로 발전할 가능성이 크다. 정상인의 경우 매년 1~2%가 치매로 진행되고, 경도인지장애 환자의 경우 매년 10~15%가 치매로 진행한다.

경도인지장애 환자의 약 80% 정도가 6년 안에 치매를 겪는다고 보고도 있다. 이 경도인지장애 단계에서는 실망하면서 포기해서는 안 된다. 병원을 찾아가서 이것이 악화할 요소가 있는지 확인하는 과정이 필요하다. 그리고, 신체 상태와 마음 상태를 점검(병을 악화시키는 생활 습관과 가지고 있는 기저 질환을 점검해야 한다.)하고 뇌 활동으로 남아있는 뇌세포의 효율을 최대한 끌어올리고 운동과 인지 향상을 위한 활동들을 열심히 해야 한다.

이 단계에서 사회적 관계를 확장하는 것도 마찬가지로 중요하다. 이런 적극적인 변화가 있어야 한다. 이렇게 되면 현상을 유지할 수 있기도 하고, 만약에 치매로 진행이 되더라도 가족과 오래 함께 살 수 있는 예쁜 치매를 맞이할 수도 있다. 2022년 국민건강보험공단 자료에 따르면 경도인지장애 환자 수는 34만 3천 명이다. 2024년 경상남도 진주시 전체 인구수와 거의 비슷한 숫자이다.

〈알츠하이머 치매〉

. 알츠하이머 치매는 알츠하이머병을 원인 질환으로 치매에 이른 것이다. 알츠하이머병은 치매를 일으키는 가장 흔한 퇴행성 뇌 질환이며, 1907년 독일의 정신과 의사인 '알로이스 알츠하이머' 박사에 의해 최초로 보고되었다.

. 알츠하이머 치매는 적어도 증상이 처음 나타나기 20~30년 이전부터 베타 아밀로이드라는 독성 단백질이 뇌 조직에 쌓이기 시작한

다. 이 시점을 발병 시발점으로 볼 수 있다. 생각해 보면 병의 발생을 억제하거나 지연시킬 충분한 시간이 있다는 의미이다. 즉, 치매는 갑자기 발병하지 않는다는 것이다. 대략 40대부터 뇌 손상이 서서히 시작된다는 것이다. 그래서 이른 나이부터 생활 습관을 잘 지녀야 한다.

.뇌에 축적된 아밀로이드라는 비정상 단백질은 뇌 신경세포를 파괴하며, 뇌신경 세포가 파괴되면 뇌 기관이 제대로 작동하지 못하고 인지 기능이 저하되는 것이다.

.비정상 단백질은 보통 해마(기억과 학습 능력을 담당)를 먼저 공격한다. 뇌의 측두엽 안에 있는 해마는 최근 기억을 저장하는 역할을 한다. 가게에 물건이 들어오면 주인이 차곡차곡 잘 쌓아 놓듯이 해마도 최근 기억을 저장하는 것이다. 이런 해마가 고장이 나면 최근 기억을 저장하지 못한다. 이것이 알츠하이머 치매의 초기 특징이다.

그러나 환자 가족들은 부모님이 기억력이 아주 좋아서 옛날 기억은 잘하시는데 최근 것만 기억을 못 하신다고 호소한다. 그러면서 부모님이 어린 시절 있었던 기억을 세세하게 잘 말씀하신다고 하면서 고개를 갸우뚱거린다. 또 교육 현장에서 만나는 어르신들 역시 옛날 기억은 생각이 나는 데 금방 있었던 일도 기억이 안 난다고 하소연하시는 경우도 많이 있다.

그러나 옛날 기억은 잘하시면서 최근 기억을 못 하시는 것이 알츠하이머병 치매의 대표적인 증상이다. 측두엽 안쪽에 있는 해마로부터 퇴행이 시작하여 여기저기 서서히 다른 뇌의 부분으로 비정상 단백질이 침범하게 되며, 이에 따라 더 넓은 부위로 뇌세포를 손상하게 된다.

그래서 치매환자가 금방 묻고 또 똑같은 질문을 되풀이하면서 묻는 것은 최근 기억이 저장되지 않기 때문인 것이다.

.알츠하이머병 치매는 정상적인 기능을 수행하던 뇌세포들이 서서히 죽어가며, 개인의 인지 기능도 점진적 감퇴가 되는 것이 특징이다.

.정상적인 노화와 구분하기 어려워서 초기 발병 진단이 어렵다.

.초기에는 미세한 뇌 손상의 결과로 서서히 진행하고 영상을 찍어도 정상으로 나올 수 있다. .증상이 심해지면 뇌 위축 소견이 나온다.

.아직 완치제는 없지만 조기 발견으로 병원 약 처방, 인지훈련, 적당한 운동, 균형 잡힌 식사 등 집중적인 보살핌으로 퇴행을 늦출 수는 있다.

참고로 1995년 세계보건기구가 지정한 '알츠하이머 날'이 9월 21일이다. 우리나라에서는 이날을 '치매 극복의 날'로 정하여 치매 관리의 중요성을 알리고 치매를 극복하기 위해 제정된 기념일로 정하여 해마다 '치매 극복 걷기대회' 등 다양한 행사들을 하고 있다. 나도 치매 극복의 날 행사로 어르신들을 모시고 '치매 극복 합창대회'에 지휘자로 참가한 경험이 있다.

*알츠하이머병 발병 원인은 현재까지 정확하게 알려지지는 않았다. 단백질 응집체인 베타아밀로이드와 타우가 뇌에 침착되면서 뇌세포에 유해한 영향을 미치면서 발생하는 것으로 추정할 뿐이다. 그 외 가족력, 치매를 부르는 생활 습관 등에 의해 발병한다고 알려져 있다.

*알츠하이머 치매를 이해하기 쉬운 영화를 소개한다.

제목이 '소중한 사람(Ori ume)'이다.
알츠하이머병에 걸린 시어머니와 같이 사는 며느리, 그들의 가족에 대한 실화를 바탕으로 각색된 영화이다. 영화의 포스터 타이틀이 '기억의 마지막까지 함께 걸어줄 소중한 사람 당신에게도 있습니까?'이다. 이해하고 받아들이면 '사랑'과 '사람'이 보인다는 것을 보여주는 영화이다.

영화 내용을 살짝 들어가 본다. 홀로 노년을 보내고 있던 마사코(치매가 걸리는 주인공 시어머니)는 셋째 아들 내외의 제안으로 도시로 가서 살기 시작하면서 이야기가 시작된다. 가족 간의 즐거운 시간도 잠시, 시어머니 마사코가 치매에 걸림으로 인해 이해할 수 없는 행동들로 서로에게 상처를 주고받는 가족들, 그들의 삶은 점점 더 고통스러워하는 것을 보여주며 우리가 일상에서 느끼는 가족 간의 갈등, 서운함을 안고 살아가는 모습과 닮아있어 관객에게 공감의 정서를 전한다. 또, 이런 고통을 겪고 살아가고 있는 우리들을 위로하고도 있다.

마사코의 며느리가 사찰 시설의 관계자를 만나서 "시어머니를 칭찬해 준 적이 있는가?"라는 물음을 듣고부터 시어머니를 이해하기 시작한다. 그 후 어루만져주며 서로의 아픔을 치료하기 위해 노력하는 장면들이 가슴 뭉클함을 전하고 있다. 따뜻하게 안아줄 것, 있는 모습 그대로 인정해 주기, 칭찬을 자주 할 것 하는 것들을 실천해 나간다. 그리고 인지치료 등을 통해 조금씩 병을 극복해 나가는 모습들을 보여주며 상황은 훈훈해진다.

살면서 닥쳐오는 어려움은 절망이 아니라 가족과 본인 그리고 이웃의 따뜻한 이해와 소통을 통해 서로를 알아가고 서로에게 있어 세상에서 가장 소중한 사람이 되어가며 희망적으로 극복할 수 있음을 보여준다. 위로와 희망, 그리고 알츠하이머 치매의 진행과 가족의 고통을 전하는 치매 내용 영화이다. 나의 교육연구소에서 치매 예방 강사를 양성하는 과정에서는 신입 강사님들께 치매를 이해하기 위해서 꼭 보라고 권하는 영화이다. 알츠하이머 치매가 궁금한 독자들께도 권하고 싶다. (이 내용은 영화 스포일러 내용이 일부 포함 되어있다)

〈혈관성 치매〉
.알츠하이머병 치매 다음으로 두 번째로 흔한 치매의 원인 질환이다.
.뇌혈관 질환으로 인해 뇌 조직의 손상이 초래되어 나타나는 치매다.
.뇌 영상 검사상 뚜렷한 증거가 있을 때 혈관성 치매로 진단한다.
.혈관성 질환의 대표적인 위험인자 고혈압, 흡연, 심근경색, 당뇨병, 고콜레스테롤혈증 등을 잘 관리하면 다른 치매에 비해 예방 가능성이 높다.

.장애가 생긴 부위에 따라 신체적으로 나타나는 증상이 다르다.

.영상으로 촬영한 뇌 부분을 보면 혈관성 치매 환자의 뇌는 혈류량이 현저히 감소하여 있는 것을 볼 수 있다.

.혈관성 치매는 뇌동맥 경화로 인한 뇌 혈류의 감소나 뇌졸중(뇌출혈과 뇌경색) 이후에 발생하며 뇌의 큰 혈관이 막히면 운동 장애와 언어 장애가 나타난다. 큰 혈관이 막히면 한 번의 뇌경색에도 치매가 올 수 있다.

.아주 작은 혈관들이 막혀 특별한 증상을 보이지 않지만 누적되면 다발성 경색 치매가 된다.

주로 뇌 껍데기인 피질 아래에 뇌경색이 많이 생기는데 이것을 피질하 뇌경색 치매라 한다.

작은 혈관이 막혀있는 증상은 서서히 진행되기 때문에 알츠하이머성 치매와 구별하기 어렵다.

그러면 이것은 무엇으로 알 수 있을까? 이것은 자기공명영상장치(MRI)를 찍어보면 구분할 수 있다.

.혈관성 질환은 대부분 인지 기능 저하가 갑자기 발생하며, 명확한 뇌혈관 질환 후 발병하는 것으로 알려져 있다.

.혈관성치매의 증상은 다양한 증상이 갑자기 나빠지기도 하고 또는 갑자기 좋아지기도 하면서 변화한다는 것이다.

.뇌혈관성 치매는 손상을 입은 신경세포를 회복시킬 수는 없지만 뇌졸중의 재발을 예방하는 치료와 재활치료가 중요하다.

.만사를 귀찮아하는 동기 저하, 충동 억제 이상, 기획센터 이상, 운동 증상 이상 같은 증세가 올 수 있다.

.2024년 2월 캐나다 맥매스터 대학 의대 신경과 전문의 라에드 조운디 교수 연구팀의 발표에 따르면 뇌졸중이 치매에 큰 영향을 미친다는 연구 결과이다. 뇌졸중 후 1년 안에 치매가 나타날 위험이 3배 가까이 높다는 연구 결과를 내놨다.

〈전두측두엽치매〉

.전두엽과 측두엽의 신경이 변성되어 발생하는 치매이다.

.경과 속도가 빨라 증상 시작부터 6~11년, 진단받은 때부터 3~4년 생존하는 것으로 나와 있다.

.증상의 시작은 40대~80대까지 다양하지만 보통 중·후반 성년기에 발병하며, 45~64세의 연령층이 전체 전두측두엽치매 환자의 60%를 차지하며, 초로기 치매 환자에게 많이 나타난다.

.행동 증상과 언어장애로 인해 사회생활에 어려움이 크고 가족에게도 많은 고통을 안겨준다.

.전두측두엽치매 환자들의 10%는 상염색체 우성 유전을 보이기도 한다.

.탈억제, 무감동, 과소비 등의 행동과 사회적 예절을 지키지 않는 행동, 충동성이 나타난다.

-전두측두엽치매의 원인

.정확한 원인은 아직 밝혀지지 않고 있으나 전두 측두엽 환자 중에는 거의 40%는 가족력이 있었으며 그중 10%에 해당하는 환자에게서는 유전성을 가지고 있어 유전적인 요인과도 관련성이 있다는 보고도 있다.

-전두 측두엽 치매의 특징

.보통 알츠하이머병 치매는 기억력 저하부터 발생하지만, 전두 측두엽 치매는 기억력 저하보다는 언어, 절제, 판단, 사고 등의 기능 저하가 먼저 나타나는 것이 특징이다. 이런 관계로 무례한 행동을 하거나, 충동을 조절하지 못한다. 기분 나는 대로 부적절한 행동을 보인다. 타인이 보았을 때 성격 즉 사람이 변했다고 할 수 있다. 또, 말할 때는 적절한 단어를 말하지 못하거나 다른 사람들의 말을 이해하지 못하는 증세가 나타날 수도 있다. 성적인 행동을 공공연히 나타내고 예의범절을 지키지 않는 행동도 한다. 필요 없는 물건을 모으거나 구매를 마구하는 행동 등도 나타낼 수 있다. 지금까지와는 전혀 다른 사람으로 변해버리는 경우도 있다.

〈파킨슨병에 의한 치매들〉

치매를 일으키는 질환 중에서 파킨슨병 증상을 동반하는 치매들을 말한다. 파킨슨병 증상을 동반한 치매는 크게 4가지로 분류한다. 파킨슨병 치매, 루이소체 치매, 진행성 핵상 마비, 피질 기저핵 변성 등이다.

*파킨슨병에 대해서 간략하게 알아보자.

.파킨슨병은 신경전달물질 중 도파민 성분이 부족하여 운동신경망이 원활하게 작동하지 못하여 생기는 운동 신경성 장애이다.

.파킨슨병은 알츠하이머병 다음으로 흔한 퇴행성 뇌 질환이다.

.신체 떨림(전체 환자의 75% 정도로 나타남)과 근육의 경직, 균형 장애(구부정, 엉거주춤함에 따라 크게 다치는 경향이 많음), 느린 신체

움직임(서동)이 크게 나타나는 4가지 증상이다.

.그 외 우울증, 불면증, 배뇨장애, 통증, 저림, 손발 관절 마비, 언어장애 등 여러 가지 장애를 동반하는 경우가 있다.

.보통 사람들이 불치병이나 중증 장애로 보지만 약물복용으로 증상을 많이 완화할 수 있다. (조기 발견이면 효과적이다)

-파킨슨병 치매는 파킨슨병이 걸리면 치매의 위험이 많이 증가한다는 것으로 알려져 있으며 파킨슨병에서 치매가 잘 동반된다.

.파킨슨병에 의한 치매는 파킨슨병이 먼저 나타나고 치매가 발병된다.

.파킨슨병이 있는 환자 중에서 40% 정도는 파킨슨병 치매로 발병 경험을 한다고 보고 있다.

.파킨슨병 치매는 보통 60~70세 이후에 많이 발생한다.

-루이소체 치매는 임상적인 특징이 파킨슨병 치매와는 다르다. 파킨슨병 치매는 파킨슨병이 먼저 나타나지만, 루이소체 치매는 치매 증상이 먼저 나타나는 경우가 많다. 루이소체 치매 환자들은 그 증상에서 변동이 심하고 인지 기능 증상도 굴곡이 심하다. 특히, 밤에 불면증이 나타나는 것과 갑작스러운 의식의 변화가 나타나는 '섬망' 증세가 나타나 정신이 혼미해지면서 불안정해지고 착각, 환각이 일어나는 의식과 인지장애가 생기는 것이 특징이다.

〈치매 유형별 구성 비율〉

알츠하이머 치매:76.04%, 혈관성 치매:8.57%, 기타 치매:15.37%

(2024.6월 중앙치매센터 자료)

〈치매 중증도 분포 비율〉

최경도 17.4%, 경도 41.4%, 중증 15.5%, 중등도 25.7% (2024.6월

중앙치매센터 자료)

치매의 증상은 어떻게 나타날까?

만나는 대상자들이 건망증과 치매에 대한 문의를 많이 하신다. 건망증과 치매에 대해 요약해서 알아본다.

건망증	치매
생리적인 뇌의 현상	뇌의 질환
경험의 일부 중 덜 중요한 일을 잊는다.	경험한 사건 전체나 중요한 일도 잊는다.
힌트를 주거나 시간이 지나면 생각이 난다.	힌트를 주어도 시간이 지나도 기억을 못한다.
일상생활에 문제가 없다.	일상생활에 지장이 있고 돌봄이 필요하다.
본인의 기억력에 문제가 있다고 인정한다.	기억력의 문제를 모르거나 인정하지 않는다.
원인을 제거하면 회복한다.	회복이 어렵다.

*건망증은 힌트를 주거나 곰곰이 생각하면 기억이 떠오르지만, 치매는 힌트를 주어도 생각해 내지 못해 일상생활에 지장을 주는 것이 대표적인 차이라 말할 수 있다.

〈인지기능 장애 증상〉

- 기억력 장애

알츠하이머병 치매의 대표적인 초기증상이 기억력 장애이다. 기억 중에서도 최근 기억이 먼저 감퇴한다. 병이 진행될수록 이전 기억도 잊게 되고, 자식, 친척도 몰라보게 된다. 퇴행성 치매는 기억장애가 서서히 발생하고 혈관성 치매나 뇌 외상(사고 등으로 발생) 원인은 기억장애가 갑자기 발생한다. 전두측두엽치매는 다르다. 앞에서도 이야기한 전두측두엽치매는 초기에는 기억력이 멀쩡해도 충동을 조절하지 못하는 폭력성이 더 먼저 나타나기도 한다.

- 지남력(사람, 장소, 시간을 올바르게 인식하는 능력) 장애

시간이나 날짜, 계절에 대한 혼돈인 시간을 인식하는 장애가 오고, 본인이 어디에 있는지에 대한 혼돈으로 장소를 판단하는 장애가 온다, 자신이 누구인지, 주위 사람들이 누구인지 몰라보게 되는 사람을 인식하는 장애가 온다.

- 시공간 장애

시공간 능력이 떨어지면 방향 감각이 저하된다. 거리 측정이 안 되

고 길을 찾지 못하여 자신의 집을 못 찾게 된다. 공간 손상이 오면 일상생활에서 바지를 입을 때 양다리를 한쪽에 끼우거나 팔 끼우는 곳에 머리를 넣고 머리를 넣는 곳에 팔을 끼운다. 나중에는 집에서도 화장실을 못 찾게 되어 유도선을 붙여 놓기도 한다.

- 언어장애

가장 흔한 증상은 자주 쓰는 단어가 기억이 안 나서 "저것" "그것" "있잖아" "거시기"와 같은 표현을 자주 사용한다. 하고 싶은 표현이 금방 나오지 않거나 물건의 이름이 떠오르지 않아 머뭇거리는 '명칭 실어증'이 온다. 사물의 이름 대신 그 사물에 대한 설명으로 표현하기도 한다. 냉장고라는 말이 생각이 떠오르지 않아 "반찬 넣어놓는 찬 데 있잖아" 식으로 말한다. '가방'이나 '가발' 등 발음이 비슷한 단어를 혼동하고, '사과'를 '배'라고 하는 등 의미가 유사한 단어를 사용하기도 한다.

언어능력에 문제가 오면 책을 좋아하던 사람이 문장 이해력이 떨어져 잘 읽지 않게 되고, 드라마를 보아도 내용을 잘 이해하지 못한다. 또, 소리 내 읽었다고 해서 그 의미를 다 이해하는 것도 아니다. 상대가 말하면 앞부분의 내용도 잊어버릴 수 있다. 치매를 앓다가 돌아가신 부모님이 했던 말이 생각이 난다. "강변에 나가서 사람을 만나 서너 명이 이야기하면 도대체 무슨 의미인지 몰라 그 대화에 끼어들 수가 없다. 왜 이렇게 되어 버렸을까?"라고 말씀하셨다. 이렇게 대화의 의미를 몰라 점점 말수가 줄어들게 되고 나중에는 실어증이 올 수도 있다. 그리고 치매 환자는 전화로 이야기하면 무슨 내용인지 모를 수 있다. 얼굴을 보고 손짓이나 몸짓 같은 비언어적 표현을 섞어가며 이야기를 하면 이해하기가 좀 더 쉬워질 수도 있다.

- 실행증
익숙하게 잘하던 일을 처리하는데 어려움이 생긴다. 익숙하게 하던 일들인 밥을 하거나 면도를 하는 일 등 하던 일을 하지 못하게 된다.

- 계산능력 장애
거스름돈 같은 것을 주고받는데 실수가 빈번하고 이전에 잘하던 돈 계산이 서툴러지고 금전 관리를 못 하게 된다.

- 실인증
사물을 보고 자극을 받아도 인지하지 못하게 되는 증상이다. (예) 오리 그림을 보고 그리라고 하면 그릴 수 있고(시력 장애 없기 때문에) "무엇인가요?" 물어보면 "오리"라고 대답하지만(이름대기 장애 없으므로) 오리 그림이 어떤 의미가 있는지 인식하지 못한다.

〈치매에 흔한 정신기능 장애 증상〉
- 이상행동
공격성 증가, 부적절한 성적 행동, 누군가를 쫓아다니며 소리 지르기, 악담, 과식 등을 한다.

- 이상 심리 증상

환각, 배회, 같은 행동 반복(밖에 있는 물건을 자꾸 주워 오는 행동 등), 불안, 초조, 조울증, 망상, 섬망 등의 증상으로 대부분 중기 이후에 많이 나타난다. (망상의 예로 "도둑이 내 돈을 훔쳐 갔다.", "아내가 바람을 피운다." 등)

- 석양 증후군

저녁 해 질 무렵에 위의 증상들이 심해지는 특징이 있다.

*치매 환자는 병이 진행되는 정도에 따라 증세들이 달리 나타날 수 있다. 처음에는 기억력이 자꾸 떨어지는 것을 느끼게 되므로 불안하고 초조하고 우울해지면서 좀 거칠어질 수도 있다.

적절한 행동 규칙 등을 망각했기 때문에 사회적으로 부적절한 방식의 행동도 할 수 있다. 도와주려고 할 때 위협으로 오해하고 화를 낼 수도 있다. 단기 기억이 소실되었기 때문에 질문을 반복하여 할 수도 있고, 식사하고도 밥을 달라고도 한다. 그리고 원하는 것이 해결되지 않을 때는 감정적으로 대할 수도 있다.

단계가 진행되면 무기력해지면서 아무것도 안 하려고 하기도 한다. 그리고 자기가 가지고 있던 본래의 성격이 많이 나타날 수도 있고, 조현병이 있었던 분들은 그 증상이 표출되는 경우도 있다. 그리고 앞에서 살펴본 치매의 종류에 따라서 병의 증상이 다르게 나타나고 돌봄자의 태도나 환자가 사는 환경 등 여러 요인에 따라 달라질 수 있어 치매의 증세는 똑같다고 말할 수 없다.

*치매의 의심 증상을 좀 더 자세히 알아보자

- 일상생활이나 하는 업무에 지장을 줄 정도로 최근 일에 대한 기억력 저하가 나타난다.

최근 들어 다른 사람의 얼굴은 생각으로 그려지는데 이름이 기억나지 않거나 약속을 깜빡 잊는 일이 가끔 생기는 것은 정상적인 사람에게도 일어나는 건망증이라 본다. 하지만 잊는 횟수가 증가하고, 시간이 지나도 기억이 나지 않는 것이 치매의 특징이다.

- 평소에 잘하던 일을 처리하는데 어려움이 생긴다.

조금 복잡한 음식을 만들지를 못하거나 음식 맛이 갑자기 변하게 되고, 어떤 가전제품이나 기계를 보고 예전에는 익숙하게 잘하던 일을 처리하지 못하게 되는 것은 치매의 증상일 수 있다.

- 적절한 단어가 생각나지 않고, 언어사용에 어려움이 있다.

적당한 낱말이 생각이 나지 않아 머뭇거리는 것은 정상인에게도 일어나는 현상이다. 하지만 생각해도 상황에 맞는 적당한 낱말을 말하지 못하고 엉뚱한 말로 대신하거나 '거시기' 등의 단어를 사용하는 일이 많아진다면 치매를 의심해 볼 수 있다. 또 상대의 말을 이해하지 못해 부적절한 반응을 보이는 증상도 함께 나타날 수 있다.

- 시간과 장소를 혼동하게 되고 익숙한 장소에서도 자신이 어디 있는지 모른다.

정상적인 사람도 낯선 장소에서는 길을 잃기도 한다. 하지만 평소에 잘 알고 있었던 장소에 가도 내가 지금 어디에 있는지 인지하지 못하거나 방향을 모르고 길을 잃는다면 치매 증상일 수 있다. 또, 요일이나 날짜를 혼동하거나 봄인지 겨울인지 계절이 바뀌는 상황을 모르는 증상도 보인다.

- 평소 젊잖았던 분이 화를 내거나 욕을 하는 성격 변화가 온다.

치매 증상이 있는 사람은 의심이 많아지고 충동적으로 바뀌는 등 감정변화가 급격하고 올 수가 있고 자제력이 떨어지고 시비하거나 욕을 하면서 품위를 잃는 행동을 한다.

- 추상적인 사고능력에 문제가 생긴다.

기본적인 속담을 이어 말하지 못하고 복잡한 돈 계산이 아닌 단순한 돈 계산 등도 어려워지면 의심 증상으로 보아야 한다.

- 물건을 잘 잃어버리고 잘못 간수 하며 또, 어디에 보관했는지 자주 잊는다.

냉동실에 핸드폰을 넣고 찾거나 중요하다고 깊이 넣어둔 물건을 어디에 두었는지도 모르고 찾게 되면 "아 여기다 넣어 두었지!" 하면 건망증이겠지만 "이게 왜 여기 있어" 하게 되면 치매 증상이 의심되는 행동이다.

- 기분이나 행동, 성격 변화가 온다.

나이가 들면서 성격이 조금 바뀔 수는 있지만 완전히 다른 사람처럼 변하지는 않는 것이 정상적이다. 하지만 치매 환자는 정상인보다 성격의 변화 정도가 뚜렷하게 온다. 자신의 욕구를 자제하지 못하거나 다른 사람을 당황하게 하는 일을 할 수도 있다.

- 판단력이 감소하거나 그릇된 판단을 자주 하게 된다.

정상적인 노화로 판단력이 약간 떨어지는 것은 자연스러운 현상이다. 하지만 이전보다 급격하게 현저히 판단력이 떨어져 일상생활에 지장을 초래한다면 치매 증상일 수 있다.

- 자발성이 감소하고 수동적으로 된다.

적극적으로 무엇인가를 하지 않으려고 하고 매사에 수동적이라면 치매나 우울증의 신호일 수도 있다. 노인의 우울증은 치매로 오인될 수 있기 때문에 구별이 필요하다. 평소와 다르게 모든 일에 수동적인 자세를 보인다면 치매 증상을 의심해 보아야 한다.

- 악력이 약하고 걷는 속도가 느려졌다.

걷는 속도와 악력은 뇌의 용량, 기억력, 언어, 판단력의 퇴화와 관련성이 있다고 미국 보스턴 의료센터 연구팀의 연구가 있다. 느린 걸음걸이의 사람이 빨리 걷는 사람들보다 치매 발병률이 1.5배 더 높게 나타났다. 또, 악력은 쉽고 빠르게 근육의 강도를 측정할 수 있는 방법이라서 건강평가는 물론 치매 가능성까지 예측할 수 있다. 스웨덴 대학에서 20년간 700명을 추적 관찰한 연구에서도 악력이 급격하게 줄면 인지기능도 떨어진 것으로 나타났다고 보고했다.

〈치매 단계별 증상〉

- 초기치매

가족들이 환자의 문제를 알아차리게 되고 아직은 혼자서 지낼 수 있는 수준의 상태이다.

- 중기치매

누가 봐도 치매환자라는 것을 쉽게 알 수 있는 단계로 어느 정도의 도움 없이는 혼자 지낼 수 없는 수준이다.

- 말기치매

도움 없이는 독립적인 생활이 불가능한 상태의 수준이다.

* 치매는 단계별로 그 증상이 다르기 때문에 그 단계에 맞는 대응 전략을 세워야 한다.

초기에는 원인에 대한 치료 약(좋은 약들이 많이 개발되고 있어서 희망적이다.) 복용과 환자의 생활을 단순화 시켜드리고, 뇌를 자극하는 인지 강화 치료를 적극적으로 해야 한다. 또, 운동을 늘리고, 사람을 만날 수 있는 사회적 관계성도 증가시켜야 하며, 기억할 수 있는 동기부여를 자꾸 해 드려야 한다.

초기 대응 전략으로 안 되는 시기가 오면 중기전략으로 들어가서 지도와 감시가 필요하다. 행동이나 생각의 제어가 안 될 때는 인내심을 가지고 환자를 포용하고 장기전이라 생각하며 보살펴 드려야 한다.

이 상태도 지나서 무능 상태인 말기가 오면 누워서 지내는 상태에 빠지게 된다. 이때는 세심한 돌봄은 물론 헤어져 사는 지혜까지도 생각해야 한다. 요양시설에 모시는 것을 죄스럽다고 생각하면 안 된다. 가족이 전문적으로 할 수 없을 때는 더 전문적인 곳으로 모시는 것도 지혜이다. 이렇듯 치매는 단계별 대응 전략이 필요하다는 것도 알아야 한다.

2장.

누구나 언제든지 걸릴 수 있는 병!

치매가 과연 남의 이야기일까?

치매로 고생하는 사람과 가족들을 지금은 우리 주위에서 흔하게 볼 수 있다. 이렇게 백세시대를 살고 있는 우리에게는 '치매는 예정된 손님'인 것이다. 치매는 특별한 사람만 걸리는 것이 아니다. 우리가 알았던 유명한 사람들도 치매에 걸려있고, 또 사망한 분들도 많다. 영화배우 브루스 윌리스('다이하드'로 유명한 배우)는 전두측두엽치매로 실어증이 왔고, '굿 윌 헌팅' 등 수많은 영화에서 연기한 로빈 윌리엄스도 루이소체 치매를 지독하게 앓다가 병의 후유증으로 자살로 생을 마감했다.

국내에서도 '국민 어머니'로 통했던 영화배우 황정순 씨 역시 치매가 걸렸다는 내용의 기사도 나왔고, 돌아가시고 난 후 남은 재산을 가지고 치매 여부에 대한 논란의 소송이 일어난 일도 접할 수 있었다. 이렇게 이별을 준비해 놓지 않고 치매에 걸려서 돌아가시면 상속, 유언 등 법적 절차 같은 분쟁이 많이 일어나기도 한다. 웰다잉 차원에서 보더라도 법적인 절차도 미리 챙겨두면 좋을 것이다.

철의 여인 마거릿 대처 전 영국 총리, 미국의 40대 대통령 레이건 역시 알츠하이머 치매를 비껴가지 못했다. 레이건 전 대통령은 본인이 알츠하이머병 치매에 걸려있는 수백만 명 중의 한 사람이 되었다는 사실을 알게 되었다는 내용으로 1994년 11월에 발표해 용기 있는 결단이라는 찬사를 받기도 했다. 이 발표로 인하여 알츠하이머라는 불치병을 본격적으로 알리는 계기가 되었다.

이렇게 미국 대통령도 피해 갈 수 없는 치매는 어느 특별한 사람만이 걸리는 것이 아니라 나의 이야기이며 늙어 노인이 될 우리 모두의 이야기가 아닌가? 두뇌 활성화 등 치매 예방을 게을리한 사람은 장수 시대를 살고 있는 지금 '누구나 언제든지 걸릴 수 있는 병'이라고 말하고 있다.

* 치매 현황을 살펴보자 〈중앙치매센터 2024년 6월 자료-65세 이상〉

.우리나라 노인인구 수:9,462,269 명(2023년 노인인구)
.전국 추정 치매환자 수:984,601 명

.추정 치매 유병률:10.41%

.치매관리비용:22,646,790 백만 원(2023년 기준)

.치매환자 1인당 돌봄비용 약 2,054만 원(중증 3,220만 원, 경증 1,400만 원)

.여성 환자:60.72%, 남성 환자:39.28%

.12분에 한 명씩 발생하는 대한민국 치매환자 수이다.

.연령별 구성 비율(2024.6월, 65세 이상 기준)

 - 65~69세 : 4.52% (65세 이상이 되면 5년 경과 때마다 걸릴 확률이 2배씩 증가한다)

 - 0~74세 : 8.52%

 - 75~79세 : 19.24%

 - 80~84세 : 27.13%

 - 85세 이상 : 38.02%

위에서 본 바와 같이 현재 치매 환자 수는 98만 4천 명을 넘었다. 이 수치가 얼마나 많은지를 많은 사람은 실감이 나지 않을 것이다. 대상자들에게 제주도민 인구를 가지고 설명하면 좋다. 제주시의 2024.1월 자료를 보면 2023년 11월 제주도민 모두를 합한 수는 674,353명이다. 제주도민 모두를 합한 수보다 더 많은 사람이 치매를 앓고 있다는 것은 적은 숫자가 아님을 알 수 있다.

세상에서 가장 빨리 늙어가고 있는 대한민국

　UN은 전체인구 중 노인이 차지하는 비율이 7% 이상이면 고령화 사회라고 하고, 14% 이상이면 고령 사회, 20% 이상일 때 초 고령 사회라고 규정한다. 한국의 고령화 속도를 외국과 비교해 보면 놀라지 않을 수 없다.

　우리나라는 2000년도에 전체인구 중 노인인구 7%가 넘어서 고령화 사회가 되었고 2018년도에는 14%가 넘어 고령사회, 2025년에는 20% 넘어 초고령사회가 될 것이라는 전망이다. 설상가상으로 초저출산까지 겹쳐 국가소멸 위기설까지 들려오는 심각한 상황이다.

　세계에서 가장 늙은 나라 일본은 65세 인구가 약 30%(2023.10월 29.1%)에 진입했고, 그중 75세가 넘는 초고령자들이 절반이 넘어 일을 하는 2명이 1명의 고령자를 부담하는 상황으로 사회적 부담이 커졌다.

우리나라는 고령화 사회에서 고령사회로 오는 기간이 18년이 걸렸지만, 일본은 24년, 미국은 73년, 프랑스는 115년, 독일은 40년이 걸렸다. 또 고령사회에서 초 고령 사회로 걸린 시간이 우리나라는 12년, 일본은 24년이 걸렸다. 이를 비교해 보면 세상에서 최고 속도로 늙어가고 있는 대한민국이다. 놀랍지 않은가?

우리나라는 장수국가이다. 2017년 유명한 영국의 유명 의학 저널 란셋(The Lancet)에 의하면 2030년에 우리나라의 남성과 여성 모두 세계에서 제일 오래 사는 나라로 발표되었다. 우리나라가 장수하는 이유로는 '의료 접근성이 편리하여 초기에 질병을 치료하고 잘 관리하는 나라가 되었기 때문'이라고 발표했다.

'보건 통계 2023'을 보면 한국인의 평균 기대수명은 83.6년으로 OECD 회원국 중 가장 빠른 고령화 속도이다. 기대수명은 증가했지만 건강한 삶을 유지하는 건강 수명은 어떨까? 우리나라는 신체기능과 인지기능이 떨어져서 건강한 사회활동이 어렵고 유병장수가 시작되는 지점인 건강수명을 약 73세로 보고 있다. 노년의 마지막 10년 정도는 질병을 앓은 채 살아갈 것이라고 본다.

건강수명을 개인이 좌우하는 요인으로는 각 개인이 어떻게 움직이는가? 어떻게 먹는가? 어떻게 술·담배를 하는가? 어떻게 사회활동을 하는가? 스트레스는 얼마나 받는지? 잠을 잘 자는가? 등 개인의 생활 습관과 관련이 있는 것이다. 그리고 사회적인 여러 요인 등도 삶의 영향을 준다. 예를 들면 하는 일이 너무 많아 자기돌봄 시간이 없어서 운동을 못 하게 되고. 또 경제적 생활고나 가족 중 환자가 있는 등 생활환경의 불안정과 과도한 직장 스트레스도 개인의 건강수명을 좌우하는 요인에 관계가 있다.

이렇게 일생 동안 내가 살면서 노출되는 모든 습관이나 환경이 나의 몸에 있는 노화 속도의 시계에 영향을 주고 이런 것들이 가속 노화를 만들어서 건강수명을 단축하는 것이다. 기대수명이 100살이 넘는다고 해도 건강하지 못하다면 아무런 의미가 없다. 기대수명에 건강수명을 빼면 지금의 통계로는 10년 유병 생활이다. 무서운 일이다.

2013년 국내 의대 교수들이 10년 동안 치매 진단 환자 724명을 추적 관찰한 결과 치매의 첫 증상이 나타난 후 평균 12.6년을 살고, 첫 진단 후 생존 기간은 평균 9.3년 생존이라는 보고이다. 이는 증상이 나타난 지 한참 후인 3.3년 뒤에 병원을 찾았다는 것이다. 이 연구 시점과는 달리 현재는 개인과 사회에서 관심도 커졌고 의술도 많이 발달 되었기에 지금은 요양원에 입소하시면 잘 안 돌아가신다는 말이 있다. 적시에 치료를 잘해

드리기 때문이다. 앞으로는 의료 기술의 발달로 유병 기간이 더 길어지지 않을까 싶다.

　반대로 재산은 없어도 건강하기만 하다면 얼마든지 여유로운 삶을 살게 될 것이다. KBS 24년 5월 1일 보도에 따르면 2040 년이면 무려 70만 명 가까운 간병인이 부족할 것으로 예상하고 있다. 그래서 앞으로는 간병비가 큰 부담으로 다가온다. 건강한 노후를 맞아 80~90살에 간병인이 필요 없으면 10억의 재산을 가지고 있는 것과 같다고 예상한다. 건강은 건강할 때 지켜야 하는 것이 행복의 지름길이다. 매일 나의 일상 습관을 돌아보며 살아야 할 것을 우리는 잊고 살지는 않는지? 나 자신에게도 묻고 있다.

* 국내 치매 환자 수 추이를 살펴보자
2025년 100만 명
2030년 135만 명
2039년 200만 명
2050년 271만 명(정상인 100명 중 5명이 치매)
2060년 346만 명

* 세계적 치매 환자 수 추이(WHO의 보고)
2020년에 5,500만 명 (현재 우리나라 인구수와 비슷하다.)
2030년 7,800만 명

2050년에 1억 4천만 명

매년 세계적인 치매 환자는 1,000만 명씩 발생한다는 보고다.

'치매 쓰나미가 몰려온다'는 말을 교육할 때 대상자들에게 경각심을 주기 위해서 많이 말하고 있다. 전 세계적으로 치매에 들어가는 비용은 상상을 초월한다. 우리나라 역시 마찬가지다. 2040년에 우리나라 예산의 1/6이 들어간다는 것은 무서운 금액이다. 치매 선진국인 일본이 엄청난 치매 사회적 비용을 지출하고 나서 일본 재정의 빨간불이 켜졌다고 말하고 있다.

우리나라 65세 이상 치매 환자 1인당 연간 관리 비용이 2,060만 원에 달하고 있다. 사회적 비용 발생이 심화하는 현상이 걱정스럽다. 내가 치매 예방을 적극적으로 하여 건강하게 살아가는 것도 국가를 위해 애국하는 길이라 여겨진다.

이렇게 엄청난 사회적 비용이 드는 대표적인 치매인 알츠하이머병이 시작하는 나이를 5년씩만 늦출 수 있다면 10년 뒤엔 100만 명, 50년 뒤에는 400만 명의 환자를 줄일 수 있는 것으로 미국의 메디케어가 2008년 전망했다. '치매는 예방'이 중요하다는 것을 아무리 강조해도 지나친 말이 아니다.

우리가 무섭다고 한 암은 조기 발견이 정착되고 치료 방법이 개발되면서 완치할 수 있는 것도 많으며 생존 기간도 길어져서 만성

질환처럼 생각하기에 이르렀다. 치매도 알츠하이머병을 비롯한 퇴행성 치매는 아직 완치 치료법이 개발되어 있지 않지만, 혈관성 치매의 원인이 되는 혈관성 질환 등은 조기에 발견하고 치료하면 돌아올 수 있는 가역성 치매임을 알고 잘 관리하는 지혜도 중요하다. '치매는 아는 만큼 예방하고 나아질 수 있는 것'이다.

영국 캐머런 전 총리는 당시 재직 중에 '치매는 인류 최대의 적'이라고 규정하고 매년 1,000억 원을 투자하여 치매 약 개발 계획을 발표하기도 했었다. 우리나라가 지금은 노인 4명 중 1명이 치매이지만 2050년에는 정상인 100명 중 5명이 치매가 된다는 추이를 봐도 절대 적지 않은 숫자이다. 이 숫자에 내가 포함되어서는 안 되지 않겠는가.

* 치매 약 어디까지 개발되었나?

지금은 분초를 다투는 '분초 사회'라고 '트렌드 코리아 2024' 책을 읽어보면 신조어가 나온다. 분초 사회라고 할 만큼 시간대별로 달라지는 세상이지만 글을 쓰고 있는 현재(2024년. 7월)까지 치매 약은 어디까지 개발되어 있는지 궁금하실 분들이 많을 것 같아 이를 알아본다.

먼저 (미) 바오젠과 (일)에자이가 공동 개발한 '레캠비'(성분명 레카네맙)가 2023년 7월 세계 최초로 FDA(미국식품의약국)의

승인을 받았다. '레캠비'는 알츠하이머병을 완치시키는 약은 아니다. 치매를 일으키는 뇌 질환인 알츠하이머병을 치료하는 치료율을 의미하는 것이 아니라 진행 속도를 27% 늦춰주는 효과를 보였다고 하는 약이다. 치매의 진행 속도가 100km라면 73km로 진행되게 해준다는 뜻이다. 치매를 치료하는 것도 아니고 병의 진행을 정지시키는 것도 아니다. 경증 치매가 중증 치매로 가는 것이 10년 만에 온다면 이 약으로 13년 후쯤 오게 만든다는 것이다. 그리고 초기 경증 단계 치매에만 한정된다는 점이다.

2주에 한 번 정맥 주사로 투여하는 이 약은 베타아밀로이드를 제거하는 효과를 보였다는 것이 연구진의 설명이다. '레캠비' 약값은 1년에 2만 6,500달러(우리 돈 3,000~3,500만 원 정도)이다. 부작용 우려도 있다고 했다. 임상에 참여한 환자의 약 13%가 뇌부종을, 17%는 경미한 뇌출혈 증상을 겪었다고 했다.

그러나 미국에서 레캠비 치료비를 높이는 이유는 약 투여 전후 아밀로이드 PET-CT 검사가 필요한데 이 검사비가 비싼 이유라고 한다. 우리나라는 이 검사비가 좀 더 저렴해 치료비용을 줄일 수 있다고도 말한다. '레캠비'는 일본에서는 품목 허가를 받은 상태다. 이 치료제는 작년(2023년) 국내에서도 허가 절차를 밟고 있으며 승인이 예상된다는 보도이다.

하지만 국내 치료 전문가들은 환영했다고 한다. 증상 완화가 아닌 치매 발생의 근본 원인을 억제하는 약이 나온 것은 획기적인 일이며 초기치매 환자에게는 큰 희망이라고 말했다.

두 번째는 미국이 개발한 일라이릴리의 '도나네맙'도 2023년 8월 임상 3상에서 성공적인 결과를 냈다는 기사가 나왔고, 2024년 6월 10일 FDA 자문위원회가 만장일치로 승인 권고를 결정해서 FDA 최종 승인을 눈앞에 두고 있다고 한다. 데이터에 따르면 1,736명을 대상으로 76주간 실험한 결과 도나네맙 투여 환자에게 35%의 인지 저하를 지연시켰다는 것이다. 특히 경증 참가자 인지력 저하를 60% 늦추는 것으로 나타났다는 기사다. '레켐비'보다 인지 지연을 더 많이 시키는 결과이다.

'도나네맙' 역시 '레켐비'와 마찬가지로 아밀로이드가 뇌 손상에 직접적인 원인이라는 것을 밝혀낸 것 또한 치매 치료의 큰 성과라는 것이다.

지금까지 개발되고 있는 이 두 가지 약의 수준은 인지장애나 치매 초기 환자에게 효과가 있는 약 정도이다. 중기 이상으로 넘어간 치매에는 아직 특별한 약이 개발되고 있지 않은 상태이다. 고령사회 진입 속도가 빨라지면서 치매 환자 증가로 치매약 개발이 하루가 다르게 급성장할 것으로 보며 완치제가 나오기를 간절히 바라는 마음은 누구나 같은 마음일 것이다.

젊다고 치매 걱정 안 해도 될까?

젊었을 때는 건강 문제에 대해 그렇게 고민하지 않는다. 그러나 세 살 버릇 여든까지 간다는 말처럼 젊었을 때부터 뇌를 관리하지 않으면 나이가 들어 치매 진단을 받고 나면 곤란한 상황에 놓이게 될 것은 뻔한 일이다.

뇌세포는 언제부터 망가질까? 노화의 시작은 생활 습관이나 유전 등으로 개인마다 다를 수 있지만 보통 20대 후반부터 시작되어 신체 능력이 조금씩 저하 한다고 한다. 우리의 뇌 역시 조금씩 그때부터 손상되어 갈 것이다. 치매가 20~30년 전에 우리 몸속에 들어와 서서히 그 증세가 깊어지나 밖으로 증상이 잘 나타나지 않기 때문에 쉽게 알아차리지 못하는 병이다.

치매 예방을 위해서는 젊었을 때부터 운동하고, 뇌에 좋은 음식을 챙겨 먹고, 뇌를 단련시키는 인지 활동을 강화하는 독서 등을 부지런히 하여 인지 예비력을 축적해 놓아야 한다. 그리고 다양한 사회활동과 두뇌 손상, 약물중독 등에 주의해야 한다. 젊었을 때 생활 습관을 어떻게 관리하느냐에 따라 중년기, 노년기의 노쇠와 직결된다.

관리하는 뇌와 관리하지 않는 뇌는 다르지 않겠는가? 60대 70대를 넘어가면 확연히 달라진다. 65세 이전에 오는 치매를 '초로기 치매'라고 한다. 이른 나이에 오는 초로기 치매에 대해서 알아보자.

〈초로기 치매〉

최근 '영(young)츠하이머(Alzheimer's)'라는 신조어가 생길 정도로 젊은 층에서도 집중력, 기억력 감퇴 등 여러 인지 기능 장애를 호소하는 사람들이 늘어나는 추세이다. 스마트폰과 같은 디지털 기기의 과도한 사용이 주요 원인으로 지적되며, '디지털 치매'와도 일맥상통하는 개념이다. 디지털 기기와 스마트폰에 의지해 단순 계산부터 정보 저장까지 대부분을 기계에 의지하는 원인이 되어 뇌 활동이 점점 둔해지고 기억력 저하의 원인을 불러와서 치매와 유사한 증상을 보이는 현상을 말한다.

대부분 치매를 고령자의 질병이라고 인식들 하고 있지만 치매의 많은 부분을 차지하는 알츠하이머 치매는 한창 왕성한 활동을 하는 40세 정도부터 '치매의 싹'이 트고 있다가 20~30년 후인 70~80대에 나타나 조기 치료의 기회를 놓치는 경우가 많다. 그래서 치매 예방은 언제부터 하나요? 하면 누구나 '지금부터'라고 말해야 한다는 전문가들이 많다. 건강 보험 심사 평가원의 2020년 자료에 의하면 실제로 65세 이전에 오는 초로기 치매 환자들의 수가 전체 치매 환자의 10%를 차지한다는 것이다.

.주로 40~60대 초의 이른 나이에 치매가 오는 것을 '초(初)로(老)기 치매'라고 한다.

.알츠하이머병 치매, 혈관성 치매, 전두 측두엽 치매, 알코올성 치매가 대표적이다.

.가족력이 흔하며 부모 중 어느 한쪽이 상염색체 우성 알츠하이머병 유발 유전자를 가지고 있으면 자녀에게 유전될 확률이 50% 가까이 된다고 보고되어 있다.

.음주가 원인인 알코올성 치매는 초로기치매의 10% 정도를 차지하며 음주 후 필름이 끊긴 현상(블랙아웃 현상으로 기억을 저장하는 해마 손상으로 나타남)이 반복되면 초로기 치매의 위험이 큰 것으로 본다. 그래서 과도한 음주는 뇌 손상과 직결된다.

.노인성 치매에 비해 진행 속도가 빠르며 수명이 짧은 것으로 보고되어 있다. 조기 발견이 중요한 것이다.

.진단이 되면 환자의 증상이 악화하는 환경적, 대인 관계적인

요소들을 잘 파악하여 환자의 스트레스를 감소시키고, 환자에게 익숙한 환경을 유지하며, 환자가 쉽게 이해할 수 있고 편안한 의사소통 방식을 사용하는 것이 좋다.

 * 초로기 치매를 이해하기 좋은 영화 하나를 더 소개한다.

 제목은 '스틸 앨리스'(STILL ALICE)이다.
 내용으로 들어가 보면 초로기 치매의 증상으로 50대 중년여성의 앨리스라는 여주인공이 남다른 경력을 쌓아 올려 교수, 언어학자, 세 아이의 엄마, 사랑스러운 아내가 되어 살아가고 있다. 그녀는 이른 나이에 희귀성 알츠하이머 치매에 걸려 기억을 잃어간다. 이 영화는 환자의 관점과 입장에서 이야기가 전개되고 있다. 자신의 모습과 자기를 지키기 위해 안간힘을 써보지만, 중요한 사건들을 잊어버리고, 익숙한 환경에서 길을 잃거나 물어보았던 질문을 또 묻고, 소변 실수 등도 한다.

 과거의 어린 시절과 젊은 시절의 환영과 기억에 빠지는 모습도 볼 수 있다. 이렇게 옛날 기억은 하고 있지만 최근 기억은 하지도 못한다. 또 유전성이 있는 초로기 치매는 주인공인 앨리스 자신은 아버지로부터, 앨리스의 장녀는 또 자기로부터 유전되어 걸릴 확률이 있다는 내용도 나온다. 영화는 치매에 걸린 사람이 어떻게 변화되어 가는지, 가족 간의 관계는 어떻게 되어 가는지 등 알츠하이머 초로기 치매를 이해하는 데 도움을 준다.

주인공이 알츠하이머 지원 단체에서 환자 자격으로 발표하는 기억에 남는 대사가 있다. "저는 고통스럽지 않습니다. 그저 애쓰고 있을 뿐입니다. 이 세상의 일부가 되기 위해서, 예전의 나로 남아 있기 위해서입니다." 그리고 거의 막바지 장면에서 딸이 책을 읽어주지만 이해할 수가 없다. 알 수 없는 딸의 이야기를 앨리스에게 무엇이냐고 물으니 '사랑'이라고 말한다. 기억은 없어도 감정은 남아있는 치매 환자들! 우리는 마지막까지 '사랑'과 '애쓰며 싸워야 하는 것'이 치매환자의 치료가 아닐지 생각하게 되는 영화이다.

요즈음은 가정에서도 영화를 볼 수 있으니 초로기 치매를 이해하기 위해서 시청해 보기를 권한다. 주연 배우의 훌륭한 연기력과 분위기를 고조시키는 감성적인 음악, 뉴욕시의 배경 등 아주 멋진 영화였다는 기억을 지금도 하고 있다.

영화에서 나온 주인공이 마지막 던진 강력한 메시지가 생각난다. 현재를 사는 것의 중요성과 순간순간들을 소중히 여기는 것에 대한 것이었다.

3장.

치매는 생활습관병이다

치매를 멀리할 수 있는 가장 확실한 방법은 예방과 준비뿐이다.

치매는 두뇌 기능 이상에 의해 발생하는 것이므로 두뇌 활성화를 통해 신경세포와 그들의 연결망인 신경 네트워크를 강화하는 것이 치매 예방의 첫걸음이다. 교육, 학습과 같은 적극적 두뇌 활성화를 일정 기간 이상 유지하면 시냅스 연결(한 신경세포에서 다른 신경세포로 신호를 전달하는 연결 지점)이 촘촘해진다. 이를 '인지 예비력(인지 비축력)'이라 한다. 우리가 평소 저축을 많이 해 놓으면 경제적으로 어려운 비상 상태에 대처하기 좋은 것과 같은 것이다. 인지 예비력이 클수록 치매에 걸릴 위험성이 낮아진다.

치매를 예방하는 방법에는 대단한 특별한 것이 있는 것이 아니다. 치매는 일상의 건강한 생활 습관을 통해서 상당 부분이 예방할 수 있다.

가장 저명한 영국 의학저널인 란셋(The Lancet)은 2018년 '치매 예방, 치료, 관리'의 논문에서
'치매의 9가지 위험 요인'으로 저학력, 흡연, 비만, 고혈압, 운동부족, 당뇨, 사회적 고립, 청각저하, 우울증을 발표했다. 우리가 생활 습관으로 관리 할 수 있는 것이 많다. 이런 습관들을 관리하지 않으면 치매로 이어진다는 것이다. 치매의 위험인자를 구체적으로 짚어보자.

치매의 위험인자?

위험인자에는 조절할 수 없는 위험인자가 있고 조절할 수 있는 위험인자가 있다.

.조절할 수 없는 위험인자

- 나이

나이가 많아질수록 치매 발병 위험이 증가한다. 특히 65세 이상에서는 나이가 5세가 높아질수록 그 위험성은 2배로 증가한다.

- 성별

치매 판단 여부의 검사를 받지 않고 있는 노인들도 상당수이기 때문에 수치로 나타난 수보다 더 많을 수 있다. 그래서 국내 치매 환자는 여성:남성의 비율이 70:30에 달한다고 추정한다.

혈관성치매는 여성보다 남성이 많다. 그러나 혈관성치매는 고령이 되면 여성의 발병률이 높아져 90대 이후에는 유병률의 차이가 거의 없게 된다는 보고가 있다.

 * 왜 여성에서 치매 발병률이 더 높을까?

.여성은 폐경에 따라 줄어드는 여성호르몬 감소가 원인으로 지목된다. 여성호르몬인 에스트로겐이 뇌신경 세포를 보호한다는 사실이 동물실험을 통해 드러났다. 에스트로겐이 베타아밀로이드의 침착을 감소시키고 뇌 혈류량을 증가시키는 역할을 한다고 보고 있다.

.남자보다 더 평균수명이 높은 것도 원인이다. 오래 사니까 치매에 걸릴 확률이 높아진다.

.교육 수준이 낮은 사람이 확률이 높다. 과거 여자의 교육 수준이 남자보다 더 낮기 때문이다.

.사회적 교류가 남자보다 적다. 여성의 사회적 참여가 적어 인지예비력이 낮을 것이다.

.여성의 우울증 발병률이 남자보다 더 높다. 우울증이 치매의 위험인자이다. 위의 이런 이유 등으로 여성의 치매 환자가 더 높다는 보고이다.

 - 유전적인 요인

치매는 유전적인 여러 위험 요소가 존재하는 것은 사실이다. 부모 중 한 명이 알츠하이머병을 앓았다면 상당한 위험성이 있다는 연구도 있다. 알츠하이머는 여러 복합적인 것이 결합한 질환으로 유전적 요소가 아닌 다른 기저질환이나 식습관, 교육 수준, 흡연, 음주 등 생활 습관, 환경적인 요인들도 관련이 있다는 것도 분명하다. 그리고 직계가족이 65세 이전에 앓는 초로기 치매 환자가 있었다면 위험성은 크게 높아진다. 유전에 대한 이야기는 뒷부분에 나오는 '오해하기 쉬운 뇌 건강과 치매 상식'에서 좀 더 알아보기로 한다.

.조절할 수 있는 위험인자

- 학력
저학력자가 고학력자보다 치매에 걸릴 확률이 높다고 한다.

미국 보스턴 대학교 수다 세샤드리 신경과 교수는 "치매와 학력과의 관계 연구에서 학력이 치매 발병률에 영향을 준다는 것은 사실로 보인다"라고 말하면서 "교육 수준 자체가 치매 발병률에 미치는 것인지, 학력 수준으로 인한 삶의 양식과 빈곤 등 다른 요인이 치매 발병률에 영향을 미치는 것인지는 아직 더 연구가 필요하다"라고 조심스럽게 밝혔다.

미국 미시간대학 케네스 랑가 교수팀은 65세 이상 노년층 21,057명 대상 연구에서 "교육은 뇌를 강하게 만들어주며, 교육 수준이 높을수록 다양한 과제 해결 활동을 통해 신경세포의 연결이 더욱 발달하여 치매 발병률을 감소시키는 것 같다"라고 밝힌 연구도 있다.

다른 연구도 있다.

미국 러시대학병원 연구진 조사에 따르면 "교육이 뇌에 미치는 영향은 근육운동을 하면 근육이 강해진다는 영향과 같다. 더 많은 교육을 받은 사람일수록 뇌의 특정 부분이 두꺼워지면서 신경세포망도 조밀해지는 것이다. 그러나 인지능력이 쇠퇴하기 시작하면서부터는 고학력이 그 속도에 영향을 미치지 않은 것으로 판명되었다.

다만 이런 연구 결과가 교육이 소용없다는 뜻은 아니다. 고학력자들은 높은 수준의 인지능력을 갖추고 노년을 맞이한다는 점도 상기시킨다." 즉 교육 수준은 인지 저하가 일어난 후 치매 진행 속도에 영향을 주지 않는다는 연구이지만, 연구자들은 나이 들어서도 새로운 학습을 해야 한다고 권장하고 있다. 아무튼 발병률의 영향에 상관없이 사용하면 좋아지고 사용하지 않으면 퇴화하는 뇌의 특성을 이해하고 생을 마감할 때까지 호기심을 가지고 끊임없이 배우면 치매는 멀리 갈 것이다.

- 만성질환

고혈압, 당뇨병, 고지혈증, 비만 등은 만성질환을 부르는 주요 위험인자들이기 때문에 잘 관리하지 않으면 치매 위험이 커진다. 안 걸리면 좋겠지만, 이미 지니고 있다면 규칙적으로 체크하고 약을 잘 챙겨 먹어야 한다. 의사에게 평생 먹는 기저질환약이 지겹다고 뇌 영양제 처방을 원하는 분도 계신다고 한다. 기저질환 환자에게는 뇌 영양제가 따로 있는 것이 아니라 가지고 있는 기저질환약을 잘 드시는 것이 뇌 영양제라고 생각하면 틀림없다. '한국의 사회 동향 2018'에 따르면 우리나라 노인 51%가 만성질환 3개 이상 가지고 있다는 보고이다.

뇌에 공급되는 혈액이 원활하게 공급되지 않으면 신경세포의 기능이 떨어지고 결국에는 신경세포가 죽기 때문에 치매 증상이 나타나게 된다. 뇌에 공급되는 혈류에 영향을 미치는 모든 요인이 같은 효과를 나타낸다. 그러므로 혈관을 잘 관리하는 것이 모든 치매의 위험도를 줄이는 것이다.

이렇게 혈관성 위험 요소들이 치매의 위험을 높이고, 더 나아가 여러 요소가 복합적으로 서로 작용할 때는 치매를 불러올 수 있는 위험성은 더 커진다. 예를 들어 고혈압, 당뇨, 높은 콜레스테롤이 있는 사람이 술과 담배를 많이 할 경우 나이가 들면 치매가 걸릴 위험성이 아주 높아진다는 것이다. 혈관 관리가 곧 건강한 몸을 만드는 지름길이다.

당뇨가 있는 사람은 없는 사람에 비해 경도인지장애, 알츠하이머 치매가 올 확률이 2배나 높다고 했고, 중년부터 고혈압을 앓은 사람은 나이 들어 알츠하이머병은 물론 모든 치매에 걸릴 위험성이 증가한다고 알려져 있다. 그러나 나이 들어 생긴 고혈압에 대해서는 치매의 위험성에 관해서는 논란이 있다고 보고된다. 그러나 아주 높은 수축기 혈압과 아주 낮은 이완기 혈압의 경우에는 치매의 위험을 증가한다는 연구도 있다.

- 비만

　신체의 과다한 지방이, 뇌의 아밀로이드 단백질 축적을 유도하는 대사 경로와 혈관 경로에 작용해 치매 위험을 높인다는 연구 결과가 있다.

　영국팀의 또 다른 연구에서 보면 50대 이상 영국인 6천500여 명을 대상으로 진행된 11년간 장기 추적 관찰 연구에서, 비만이 실제로 치매 위험을 크게 높이는 것으로 나타났다. 이 연구에서 비만인 사람은 치매에 걸릴 위험이 정상인보다 31% 높고, 같은 조건일 때에는 여성이 남성보다 더 위험하다는 보고를 했다. 여기서 복부비만인 여성은 그렇지 않은 정상인 여성보다 치매에 걸릴 확률이 39% 높다는 결과였다. 그러나 남성에게서는 복부 비만이 치매에 여성만큼 뚜렷하게 나타나지 않았다고 했다. 이렇듯이 비만은 치매 위험의 측면에서 적잖은 영향을 준다는 연구인 것이다. 성인기부터 체중을 적정한 수준으로 유지하는 것이 치매 예방의 생활 습관 중 하나인 것이다.

- 수면

　수면은 인간의 정신적 삶의 질을 크게 좌우한다. 그래서 전문가들은 수면의 중요성을 그 어느 때보다 강조하고 있다. 수면의 질이 좋지 않거나 수면이 부족할 때 치매 발병 위험도 높인다.

최근 노인 7천959명을 대상으로 25년간 추적 관찰한 연구 결과에 따르면 노인의 수면시간이 6시간 이하인 경우 치매에 걸릴 위험이 30% 증가했다고 한다. 수면 중에는 뇌에 축적된 치매 원인 물질인 베타 아밀로이드가 청소되는데, 수면이 부족하면 이 과정이 제대로 이루어지지 않게 된다. 따라서 건강한 수면 습관을 유지하는 것은 치매 예방에 무척 중요하다.

양질의 숙면을 위해서는 불면을 부르는 낮잠을 피하고, 수면 전 음주를 자제하며, 스마트폰 시청을 안 하는 것이 좋다. 낮잠은 20~30분 이내로 자고 잠자리에 들기 8시간 이전에 자는 것이 좋다는 보고가 있다.

- 음주

소량의 알코올 섭취는 사회적 관계나 스트레스 완화, 심장 건강 등에 좋은 면도 있다. 적포도주(레드와인)는 폴리페놀과 같은 항산화 물질이 들어 있어 인지기능에 좋은 영향을 준다. 그러나 만성적인 알코올 섭취는 기억력을 포함한 광범위한 인지 영역에 손상을 끼칠 수 있는데 그중에서도 전두엽 손상을 심하게 일으킨다. 또, 알코올이 대뇌는 물론 소뇌 등에도 영향을 미쳐 뇌를 위축시키고, 인지기능을 떨어뜨리고 운동장애도 나타난다고 국내 연구진이 보고한 내용도 있다.

- 흡연

흡연은 알츠하이머병을 포함한 모든 치매의 위험 요인이다. 혈관 건강 교육을 받아 보면 심혈관 및 뇌혈관질환의 확실한 위험인자인 것이 흡연이다. 중년기 흡연자는 20년 후 치매에 걸릴 확률이 비흡연자보다 두 배가 높다고 한다. 이런 이유로 흡연은 백해무익하다고 하는 말이 나온 것이다. 세계보건기구(WHO)에 따르면 담배에는 무려 40여 종의 발암물질과 7천여 종의 유해 물질이 들어 있다고 나와 있는 자료를 금연 강의를 하러 가서 교육한 내용이 생각난다. 담배 내 유해 물질은 10초 이내에 뇌, 심장 등의 기관에 도달하기 때문에 소량이라도 치명적이다.

- 두부 손상

뇌진탕으로 불리는 외상성 뇌 손상인 사람은 치매의 위험을 2.1배 증가한다는 보고가 있다.

낙상, 사고, 부상, 교통사고 등의 원인일 것이다. 머리를 크게 다친 사람 중에서 APOE ε4 유전자를 가진 사람은 치매 위험이 10배 정도 높다고 한다. 두부 손상으로 오는 치매는 남자가 많다는 보고이다. 여자는 여성호르몬인 에스트로겐이 신경보호 역할을 한다고 알려져 있다.

그리고 지속적인 헤딩 충격 축적은 뇌 외상에 영향을 끼친다는 연구가 있다. 미 국립보건원 연구 결과에서 선수가 어질어질할 정도의 강력한 헤딩은 물론 충격이 적은 헤딩의 지속적인 축적도 선수의 뇌 외상에 영향을 미친다고 밝혔다. 헤딩으로 인한 충격은 상대적으로 약한 수준의 뇌진탕을 반복적으로 불러올 수 있으므로 이는 영구적인 뇌 손상으로 이어질 수 있다는 것이다.

- 스트레스

최근 연구를 보면 스트레스는 다양한 육체적 정신적 합병증을 일으킨다는 것으로 알려졌듯이 모든 질병의 원인은 스트레스라고 한다. 비교적 가벼운 스트레스질환도 치매발병 위험을 높이며 더 강한 스트레스일수록 더 증가시키는 것으로 본다는 국내 연구도 있다. 또 미국 존스홉킨스대학교의 연구에서도 스트레스를 많이 받는 사람일수록 뇌의 손상도 커지며 인지기능 저하가 나타난다는 연구도 있다.

노화로 인해 자신감, 면역력 등이 저하된 노인들에게 여러 가지 원인으로 온 복합적이고 만성적인 스트레스는 여러 가지 치명적인 질병을 유발할 수 있는데 특히 뇌에 큰 영향을 미친다. 인간은 스트레스 없이 살 수가 없지만 긍정적인 마음으로 스트레스를 줄이는 방법을 찾아야 한다. 또 과도한 스트레스 상황에서는 단 음식에 대한 욕구가 강해진다는 보고도 있다.

스트레스를 슬기롭게 대처하여 목숨을 지킨 사례를 알아본다. 나치의 악랄한 아우슈비츠 수용소에서 살아남은 '빅터 프랭클린'의 이야기이다. "내가 행동하는 반응들은 대부분 외부 자극에 의해서 나타나지만, 그 반응을 만들어 내는 선택의 자유는 나에게 있다."
라고 생각하면서 "나치들이 마구 짓밟고 때리는 순간에도 내 마음
속에서는 사랑하는 아내와 대화를 나누고 있었다."라고 했다. 대단
하지 않은가? 이 사람이 수용소에서 살아남아 '삶의 가치를 깨닫고
목표를 설정하도록 하는 것에 목적을 둔 실존적 심리치료 기법'
'로고테라피(의미치료)'를 전파하게 되었다. 우리가 배우고 싶은 외
부 자극에 대한 대단한 반응 방식이다.

  * 스트레스가 전혀 없는 것도 독이다!
  미국 애리조나주 선밸리(sun Vally)는 미국의 억만장자들이 은퇴
후 여생을 즐기기 위해 만든 이상 도시이다. 그런데 엄청난 보고가
나왔다. 의사이신 이시형 박사가 그 이유를 조사하고자 그곳에 가
보니 이 도시의 노인들은 다른 도시의 노인들보다 알츠하이머 발
병률이 높았다. 거기다가 이 도시에 가면 수명이 18개월 단축된다
는 통계도 나왔다. 과연 왜 그랬을까? 분석 결과를 보니, 첫째 일
상생활에서 겪는 스트레스가 너무 없고, 둘째 생활고에 대한 걱정
이 없으며, 셋째로 인생의 목표가 없다는 점과 생활의 변화가 없다
는 점이 원인으로 지적되었다.

  선밸리 마을은 한마디로 살아가는 데 아무런 자극이 없는 도시였
다. 이 도시에는 55세 이하는 입주할 수 없어, 실제로 가보면 모두
노인뿐이었다고 했다. 심지어 자동차 운행 속도는 시속 15마일
(24km)로 제한되어 있다. 빨리 달리는 자동차의 소리로 인해 산책

하는 노인들이 놀라면 안 되기 때문에 정해진 규칙이다. 너무나 편안한 삶이 선밸리 도시에 사는 부자들을 치매와 단명으로 몰았다.

삶을 영위하는 동안 스트레스는 불가피하다. 인간은 적당한 수준의 스트레스도 받고 여러 어려움을 겪으면서 고민하고 갈등하며 극복해 나가는 삶이 뇌와 몸을 더 건강해지게 하는 방법임을 깨닫게 해주는 사례이다. '면역 혁명'이라는 책에서 보면 지상천국에 사는 것 같이 아무런 스트레스가 없는 것도 우리 삶에는 독이라고 말한다.

- 우울증

나이가 들어 나타나는 우울감의 증세를 노년기의 일반적인 증상으로 생각하고 가볍게 여겨지기 쉽다. 그러나 이러한 증세는 치매의 초기 증상일 수가 있으므로 가볍게 넘어가서는 안 된다. 평소와 다른 증상이 발생하면 잘 관찰하고 전문의를 찾아가는 것이 좋다. 치매 환자 중에서 우울증은 흔하게 나타나는 증상이다. 우울증을 가진 사람은 그렇지 않은 사람에 비해 1.7배 치매에 걸릴 위험을 가지고 있다는 보고다.

'마음의 감기'라고 불리듯이 우울증은 누구나 걸릴 수 있는 병이다. 우리나라는 이런 우울증이나 조현병 같은 병은 숨겨야 한다는 편견 때문에 혼자 힘으로 해결하려다가 병을 키우는 경우가 흔하다. 우울증에 걸리면 의욕의 저하로 혼자 힘으로는 극복하기 어려운 병이다. 치료를 받아야 하는 뇌 질환인 것이므로 꼭 전문의를 찾아가기를 바란다.

- 갑상샘 기능 이상

갑상샘 호르몬은 우리 몸의 신진대사를 조절하는 등 여러 역할을 하는 필요한 호르몬이다. 갑상샘 호르몬이 부족해지면 나쁜 콜레스테롤이 잘 제거되지 않아 혈액에 쌓이게 되고 협심증, 심근경색, 동맥경화의 질환이 생길 수 있다고 한다. 또한 갑상샘 호르몬의 저하는 뇌의 대사가 느려져 기억력이 감퇴하고 말이 둔해지며 알츠하이머병의 위험이 커진다는 보고가 있다. 갑상샘 기능 저하증은 노인에게 흔하다.

- 신경매독

매독에 의한 치매는 흔하지는 않다. 신경매독은 매독을 완치 안하면 매독균이 잠복해 있다가 몇십 년 뒤에 나타나기도 한다. 신경매독은 뇌와 척수의 중추신경을 침범하여 치매를 일으킨다.

- 비타민 B12, 엽산 부족, 호모시스테인 증가

비타민 B12와 엽산이 부족할 때 둘 다 치매의 위험인자이다. 비타민 B12가 많이 들어있는 음식은 달걀, 생선, 유제품, 해조류 등이다. 엽산 결핍도 일반인들에게 흔하다. 엽산은 시금치, 근대, 아스파라거스 등 푸른색 채소에 많이 들어있다. 치매 위험인자 중 하나가 호모시스테인이다. 호모시스테인은 인체 내에서 만들어지는 아미노산이다. 과도하게 생성되면 혈관 건강을 해친다. 혈중 호모 시스테인 증가는 혈관성 치매의 원인이 되고 노인에게 흔하다. 호 모시스테인은 비타민 B12, 엽산 등이 결핍일 때 농도가 올라간다.

위에서 본 바와 같이 치매의 위험인자들은 우리의 생활 습관과 관련이 많다. 하루 일상의 거의 모든 것이 뇌 건강과 관련되어 있 는 것이다.

뇌의 노화를 멀리하는 생활 습관

뇌의 노화를 멀리하는 생활 습관에는 다양한 방법이 있지만 그중에서 핵심적으로 중요한 것은 운동이다. 운동은 우울증, 불안감 등의 기분장애뿐만 아니라 약물중독, 폐경기 증후군, 치매 등 각종 질병을 예방하는 데 최고의 효과를 나타낸다. 운동을 하고 나면 뭔가 하루 숙제를 다 끝낸 것 같은 느낌을 받을 것이다. 나는 이런 기분을 운동 후 항상 느낀다. 이렇듯 누구든지 운동을 하고 나면 개운하면서 기분이 좋아지는 사실을 다 알고 있다. 왜 그럴까?

이 상쾌하고 유쾌한 기분이 드는 이유는 운동하면 심장 튼튼, 폐 튼튼, 근육 생성도 되겠지만 이는 부차적인 것에 불과하다. 그 진짜 이유는 바로 뇌에 많은 혈류량과 산소가 공급되어 뇌가 최적의 상태가 되기 때문이다. 이로써 알 수 있는 것은 뇌는 우리에게 명령만 내리는 것이 아니라 외부에서도 뇌에 얼마든지 영향을 끼칠 수 있는 것을 알 수 있다. 또, 운동은 신체적 건강은 물론 정신건강, 뇌 건강에 막대한 영향을 끼친다는 사실도 알 수 있는 것이다.

.운동이 치매에 미치는 효과를 살펴보자

-인지기능을 향상한다.

운동을 하면 인지기능이 향상된다는 연구들은 많이 나와 있다. 미국의 신경과학자 아서 크레머 박사는 경도인지장애 증상이 있는 그룹과 그렇지 않은 그룹 60~79세의 노인들을 대상으로 실시한 연구를 보면 유산소 운동을 규칙적으로 한 그룹이 6개월 후 그들의 전두엽과 측두엽이 커진 사실을 알아냈다. 이는 인지 저하를 되돌리고 뇌의 향상 능력을 지속시킬 수 있다고 보는 결과라고 보고했다.

- 알츠하이머병을 예방한다.

캐나다 라발대학 연구에서 보면 운동을 하면 알츠하이머병에 걸릴 확률과 정신 기능이 감퇴할 가능성이 감소한다는 보고가 있다. 이 연구는 65세 이상 노인 4,600여 명을 5년 동안 연구한 결과이다. 연구에서는 여성이 남성보다 운동 혜택을 더 많이 받는 것으로 보고했다. 많은 연구에서도 규칙적인 운동은 기억 작용 및 건강한 뇌세포 유지에 중요한 역할을 담당하는 뇌 부분이 잘 발달한다는 것으로 보고했다.

- 대뇌피질의 퇴화 예방에 도움을 준다.

알츠하이머 치매는 대뇌의 신경 피질의 신경적 퇴화로 일어날 수 있다. 꾸준한 운동은 뇌에서 운동과 감각을 담당하는 영역인 대뇌 피질을 자극하게 된다. 이것은 신체활동이 왕성한 사람일수록 대뇌 피질의 자극으로 인해 뇌의 퇴화 정도가 덜하다는 사실이다.

- 뇌 부피 감소율을 저하한다.

규칙적인 운동은 뇌로 가는 혈액량을 증가시켜 뇌세포에 산소와 영양분을 공급함으로써 뇌 용적의 감소를 막아 결과적으로는 인지를 수행하는 능력의 감소를 예방할 수 있는 것이다.

- 알츠하이머병 발병과 악화 방지로 진행 속도를 둔화시킨다.

한 연구에서 노인들에게 매일 유산소 운동을 1시간씩 실시한 결과 그렇지 않은 노인들보다 약 30% 보행 능력 향상은 물론 알츠하이머병 진행 속도도 늦추어진다는 보고였다. 또한 운동 중에 활발히 움직인 그룹에서 치매 예방의 효과가 더 컸다고 보고했다. 연구 대상 치매 노인 중 5개월간 신체활동에 참가한 사람은 뇌의 신경연결을 방해하는 나쁜 단백질 베타아밀로이드양도 감소하였다고 보고했다. 이런 결과는 신체활동이 알츠하이머병의 발병은 물론 악화를 방지하여 치매 진행 속도를 둔화시키는 결과를 가져온다는 연구이다.

.뇌의 노화를 멀리하는 생활 습관을 알아보자

- 최소 주 3~4일 이상 하루 30분 이상 몸을 움직이자.

위에서 이야기했듯이 운동은 치매 발병률을 감소시킨다. 그렇다면 얼마만큼 해야 뇌를 좋게 만들 수가 있을까 궁금해진다. 여기에 대한 답으로 한 전문가는 자기 자신이 할 수 있는 한계에 도전하라고 한다. 이는 사람마다 다를 것이다. 몸이 건강하면 할수록 뇌는 향상된다는 것이다. 건강이 허락되면 1주일에 50분 정도의 운동을 5~6일 정도 권한다. 여기서 4일은 중간 강도로 2일은 조금 높은 강도로 시간을 줄여서 하라고 한다. 그렇지 않을 경우는 최소한 주 3~4일 이상 하루 30분은 넘게 움직이는 운동이라도 해야 한다고 했다.

개인적인 경험으로 규칙적인 운동을 위해서는 누군가와 함께하기를 권한다. 상대와 대화를 하면서 하는 운동은 신경세포에 주는 자극 또한 막대하기 때문에 일석이조의 효과다.

뇌 신경세포에서 가장 중요한 것은 산소이다. 산소와 포도당이 많아지면 여러 가지 신경 활동의 속도가 빨라진다. 그래서 우리는 살아가면서 산소가 많은 환경은 자주 접하고, 지하철, 버스 안과 같은 사람이 많거나 밀집된 공간에서는 이산화탄소가 많이 나오므로 이런 환경은 피할 수 있으면 피하면 좋다. 느껴 보셨는가? 아침 일찍 공기 좋은 곳으로 산책하러 나가면 머리가 반짝해지면서 맑아지는 것을? 이것은 뇌에 산소가 많이 들어갔다는 증거다.

이렇게 뇌를 맑아지게 하는 운동은 매일 할 수 있고, 즐기면서 할 수 있는 것, 또한 자기에 맞는 종목을 찾아서 하면 금상첨화일 것이다. 그러나 현대인들은 누구나 바쁘다. 특별한 운동 시간을 못 내시는 분들은 일상생활 중에 되도록 걷기를 권장한다. 하루 생활만으로도 칼로리도 소모하고 유산소 운동의 효과도 보게 될 것이다. 시간이 되면 공기 좋은 바깥에서 운동하면 좋겠지만 바쁜 일상에서 할 수 있는 유산소 운동으로 상당한 효과가 있는 계단 오르기를 추천한다. 엘리베이터 이용을 줄이고 건물 5층 정도 계단을 오르는 것을 즐겨보자. 폐활량도 키우고 산소도 많이 마시게 된다. 그러나 기억하자. 운동은 몰아서 하루 많이 하는 것보다 꾸준히 하는 것이 중요하다.

- 근육 건강도 지키자

근육 건강을 지키는 것은 내가 노후 인생을 어떻게 살게 될지를 결정하는 요소가 된다. 이른 나이에 병이 와서 고생할 수도 있고, 늦은 나이에도 병이 올 수도 있으며 아니면 무병장수할 수도 있는 것이다. 이것을 결정하는 것은 근육 건강을 얼마나 잘 지키며 사느냐에 달려있다 해도 과언이 아니다. 빠른 노화를 부르는 것, 치매 발병, 조기사망 등을 부르는 위험인자가 바로 근육 감소량과 직결되는 것이다.

근육 건강을 지키려면 단백질 섭취도 필수이다. 자신의 식습관이 근육 건강에 어떠한 영향을 미치는지 관찰할 필요가 있다. 한국 노인은 단백질 섭취량이 현저히 부족하다고 한다. 한번 생긴 습성은 좀처럼 잘 바뀌지 않지만, 건강을 위해서 단백질을 챙겨 먹어야 한다. 근육 건강은 삶의 질을 좌우하는 바로미터다.

- 양질의 식사를 하자.

식사는 생선과 채소, 단백질 등을 골고루 챙겨 먹자. 건강한 식습관이 건강한 뇌를 만든다. 혼자 하는 혼식보다는 좋은 사람과 식사하거나 대화를 나눌 때 뇌가 크게 활성화된다. 즉 상대와 주거니 받거니, 소통할 때이다. 이렇게 양질의 식사를 누군가와 함께하는 것은 뇌 건강에 금상첨화라 할 수 있다. 오래전 영어 회화 시간에 선생님이 가르쳐 주신 문장이 생각난다. '당신이 먹은 것이 바로 당신이다!' ('you are what you eat!') '내가 어떻게 먹느냐가 어떤 나를 만들게 되는 것'이라고 하는 것을 잊지 말자. 나이 들어 운동만큼 중요한 또 하나는 내가 섭취하는 영양이라고 했다.

- 부지런히 소리 내 읽고 쓰자.

영국의 리처드 스틸은 "독서가 정신에 미치는 효과는 운동이 신체에 미치는 효과와 같다"라고 했다. 글을 읽을 때는 전두엽과 측두엽 간의 연결이 활성화된다. 즉 서로 다른 뇌 부위가 활발하게 연결된다는 것이다. 또, 새로운 단어를 습득할 때는 측두엽에서 기존 기억에 들어있는 지식을 지금 읽고 있는 문장 내용과 연결해 이해를 돕기 위해 전두엽으로 연결을 강화한다는 국제 연구진의 연구도 있다.

소리 내 읽은 내용은 더 오랫동안 기억하는 효과도 있다. 외우고 싶은 것은 속으로 외우지 말고 소리 내 읽으면서 외워보면 확실히 기억이 더 잘 된다. 혀를 놀리면서 다음에 읽을 것을 미리 보고 준비하는 과정도 뇌의 활성화에 많은 도움을 준다. 이렇게 독서가 이해력, 언어능력 등 뇌 기능을 활성화하는 것은 여러 뇌신경 회로가 매우 짧은 시간 동안 상호 작용을 하기 때문이다.

책을 소리 내 읽는 것과 일기 쓰기, 책을 보고 베껴 쓰는 것은 두뇌 활성화에 좋은 방법이다. 독서와 같은 지적 활동을 나이가 들어서 해도 치매가 예방되고 치매를 늦게 올 수도 있게 한다. 꾸준히 책이나 신문을 읽고, 시간이 되면 요점도 정리하는 습관을 지녀 보자. 인지 예비력을 많이 축적할 수 있게 된다.

 - 뇌를 자극하는 새로운 도전을 하자
 뇌는 익숙한 활동을 할 때는 활성화가 미미하다. 새로운 활동에 더 활발히 활성화되어 새로운 신경연결을 강화한다. 똑같은 환경에서 벗어나 환경을 조금씩 바꾸어 가는 삶을 사는 것이 좋다. 운동도 한 종목만 몇십 년씩 하는 것도 기량이나 즐거움에서 좋겠지만, 해보지 않았던 새로운 활동에 관심을 가지는 것도 뇌를 자극하는데는 좋은 것이다.

항상 보는 TV 프로그램도 다른 장르에 관심을 가지는 것도 좋고, 매일 다니는 길도 한 번씩은 빙 둘러서 새로운 길로 다니면서 뇌를 자극해 보는 것이다. 먹어보지 않던 음식도 도전해 보는 것도 새로운 뇌 자극일 것이다. 새로운 활동이라고 해서 너무 무리한 활동이 아니어도 된다. 보폭을 지금보다 10cm만 더 크게 걷는 것도 새로운 활동이다.

우리가 새로운 것을 보고 감동을 하면서 놀랄 때나 성취와 쾌락적인 경험, 웃거나 사랑할 때 등 몸에서 나오는 기적의 호르몬 4가지가 방출된다. 엔도르핀, 세로토닌, 도파민, 다이돌핀이다. 이 중 다이돌핀 호르몬은 천연 마약이라고 하는 엔도르핀의 4,000배 효과가 있다고 한다. 나이가 들면 감정의 반응이 약해진다. 흔히들 "좋은 것도 없고 싫은 것도 없다."라고 말씀하신다. 뇌의 자극을 위해서라도 작은 것에도 크게 감사하고 감동하자.

- 사회활동을 많이 하자.
치매를 예방하는 중요한 활동에 사회활동이 꼭 들어간다. 좋은 예방법 중 하나이기 때문이다. 뇌는 사람을 만나서 소통하는 등 활발한 상호 작용을 통해서 자극받는다고 말했다. 새로운 자극을 만들수록 새로운 신경세포 연결이 강화된다고도 강조했다. 치매에 취약한 사람은 집안에서 TV만 보는 분 같이 인지적으로 수동적인 사람이다. TV를 볼 때 전혀 두뇌 활동이 없는 것은 아니지만 다양한 분류의 사람을 만나 사회활동을 하는 것과는 비교가 안 되게 낮은 뇌 활동이다.

상대와 주고받는 자극은 집안에서 혼자 있는 것보다 더 많은 신경연결을 강화한다. 그래서 밖으로 나가야 한다, 밖으로 나가는 동시에 우리 뇌는 자극을 받는다. 긍정적인 마음가짐으로 적극적인 사회참여 활동을 즐기며 적절한 자극을 지속해서 받아들여 뇌가 활성화 되게 하자.

- 조기 검진이 중요하다.

매년 치매 조기 검진과 건강검진을 받자. 무엇보다 중요한 것은 병이 진행되고 있는지 상태를 확인하는 일이다. 다른 병보다 치매는 조기 검진이 아주 중요하다. 초기에 발견하고 적극적으로 치료하면 증상의 악화를 막고 병의 진행을 늦출 수 있기 때문이다. 초기치매일 경우 정확한 원인을 알고 대처하면 그 상태를 오래 유지할 수 있다. 일찍 발견하면 생이 달라질 수도 있다. 치매 검사는 65세가 아닌 60세 이상부터 보건소 치매안심센터 등에서 무료로 검사해 주고 있다.

- 긍정적인 생각은 보약과 같다.

'해를 향해 서면 그림자는 뒤로 간다.' '물 잔이 반이나 비어 있음이 아니라 물 잔이 반이나 차 있는 것을 보라' 내가 좋아하는 긍정에 대한 문구이다.

긍정적인 생각은 사람의 기분을 좋게 할 뿐 아니라 실제로 우리 몸을 건강하게 만들고 수명을 연장한다는 연구들이 있다. 우리의 몸은 뇌의 통제를 받는다는 것은 분명한 사실이다. 우리 몸은 긍정적인 마음가짐일 때 면역체계를 높여준다. 이런 이유로 불치병 환자들이 긍정적인 마음을 가지면 약효가 좋아진다고 하는 것이다. 사람들 중에는 긍정적인 삶을 선택하는 사람도 있지만 사소한 일에도 스트레스를 심하게 받는 사람들도 있다. 전문가들은 말한다. 긍정을 촉진하는 기술을 배우고 익히면 달라질 수 있다고 한다.

- 웃고 또 웃자

억지로 웃어도 효과가 있다는 것은 과학적으로 증명된 사실이다. 억지로 웃어도 얼굴의 근육들이 움직여 뇌에 신호를 보낸다. 그러면 우리 뇌는 웃는 일이 있는 것으로 생각하고 좋은 반응을 일으킨다. 뇌는 진짜 웃음과 가짜웃음, 실제인가, 상상인가를 구분하지 못하기 때문이다.

웃음 학의 아버지'라고 불리는 노먼 커즌스는 강직성 척추염을 웃음으로 이겨내고 대학에서 웃음 학을 강의하면서 "웃음은 방탄조끼다."라고 하였고 "우리 몸에는 완벽한 약국이 있어 어떤 질병도 치료할 수 있는 강력한 약을 가지고 있다. 그것이 '웃음'이다."라고 했다. 몸이 병들었을 때 우리 몸을 치료하는 신비의 약이 바로 웃음이다. 웃으면 만사형통이라 했다. 뇌 건강을 위해서 웃는 습관도 약 먹는 것만큼이나 효과적이라 생각된다.

- 최고의 치매 예방법, 외국어를 배우자

인지기능 저하를 늦추는 치매 예방법으로 외국어 배우기를 어디에서든지 많이 추천한다. 외국어를 배우면 인지능력이 향상된다는 연구들이 많이 나와 있다. 캐나다 토론토대 연구에서 밴쿠버인들은 영어만 사용했고, 퀘벡인들은 영어와 프랑스어를 사용했다고 한다. 한가지 언어를 사용한 밴쿠버인들 보다 두 가지 언어를 사용한 퀘벡인들이 약 5년 정도 치매가 늦게 발병한다는 결과였다. 이런 효과는 약물치료 효과보다 낫다고 전문가는 말한다.

그 이유는 외국어를 습득하는 것은 우리 뇌에서는 아주 새로운 자극이다. 새로운 자극이 신경세포 간의 연결을 강화한다. 아이일 때 외국어를 배운 사람보다는 나이 들어서 배운 사람들이 더 효과가 크다는 연구이다. 그래서 어르신 대상인 교육을 할 때는 "복지관에서 외국어 배우는 프로그램이 있으면 얼른 가서 등록해서 배우십시오. 최고의 치매 예방 활동입니다."라고 이야기해 드린다. 외국어를 배우면 자존감도 높아지지 않던가.

그러나 외국어 배우기가 쉬운 것은 아니기 때문에 두려움을 가져 망설이거나 포기할 수가 있다. '나이 들어서 하는 치매 예방 활동은 잘하는 것보다 잘하려고 집중할 때 뇌가 활성화된다'는 것을 꼭 알려드리고 싶다.

- 요리하는 것을 즐기자
유튜브에 요리 관련 영상들이 인기가 많다. 요리할 줄 모르는 분들도 걱정 없이 요리해 낼 수 있게 된 세상이다. 한때 요리 예능 열풍 탓도 있지만 바로 접근할 수 있는 매체들 덕분인 것도 사실이다. 이런 점을 알고 요리하는 것을 즐겨보기를 권한다. 나 역시 바쁘다는 핑계로 한동안 요리하는 것을 소홀히 한 탓에 이전에 잘하던 요리 방법들을 잊고 있었다. 그러나 지금은 걱정이 없다. 우리 집 입맛에 맞는 유튜브 선생님들의 영상들을 골라보며 만들고 있기 때문이다.

요리하는 일은 뇌를 크게 단련하는 일이다. 그 이유는 많은 인지활동이 요구되기 때문이다. 요리활동은 재료구입에서부터, 다듬기, 요리 순서 생각하기, 간 보기, 재료를 써는 방법, 그릇 선택, 식탁 세팅 등 순서대로 하는 활동이 뇌를 많이 사용하는 강력한 치매 예방법인 것이다. 치매 노인을 대상으로 요리 치료를 한 후 기억력과 인지력이 향상되고 우울 점수가 낮아졌다는 연구들이 있다. 반면에 갑자기 음식 맛이 변했다면 치매를 의심할 행동이다.

- 뇌가 젊어지는 음식을 먹자.
여기서 말하는 정보는 일반적인 사항으로 개개인의 특성에 따라 다를 수 있다. 음식과 뇌는 긴밀한 관계가 있다. 치매 예방을 하기 위해서는 여러 가지 운동이나 두뇌활동도 중요하지만, 음식 또한 중요하다고 앞부분에서도 언급했다. 앞으로 누구나 장수하면서 건강하게 살려면 음식에도 신경을 써야 한다. 무엇을 먹느냐에 따라서 뇌를 좋게 만들거나 나쁘게 만들게 하는 것이다. 뇌에 좋은 음식을 알고 뇌를 젊어지도록 섭취하는 것이 현명한 일이다. 무얼 먹어야 할지 자신이 없을 때는 전문가의 도움을 받고 드시는 것도 좋은 방법이다.

- 뇌 건강 비결 강황을 먹자

강황은 강황의 뿌리줄기(근경), 울금은 울금의 덩이뿌리(괴근)라고 본초학 교과서에서 규정하고 있다. 그런데 강황과 울금은 식품학적 차이가 별로 없어 식약처에서 동일한 식물 뿌리로 규정하고 있다는 KBS 보도를 본 적이 있다. 강황에는 커큐민(노란빛을 내는 것) 성분이 풍부하다. 커큐민은 신경보호 작용이 뛰어나 인지 능력과 기억력 개선에 탁월하다. 항산화, 항염, 항균성, 항노화 등의 작용으로 알츠하이머병을 예방하는 데 중요한 역할을 한다.

인도인들의 주식 '카레'의 주재료가 바로 강황인데 카레를 많이 먹는 인도 노인들의 경우 알츠하이머 발병률이 현저히 낮다. 우리나라 노인 10명 중 1명이 발생할 때 인도 노인들은 100명 중 1명의 발생률을 나타냈다.

강황은 동의보감에서는 '활혈거어'라 하여 혈액순환을 촉진하여 막히거나 정체된 어혈을 풀어준다고 했다. 어혈을 풀어준다는 것은 혈관을 깨끗하게 하여 고지혈 등 성인병 예방에 도움이 될 것이다. 또, 한의서에는 강황은 성질이 뜨겁고 울금은 성질이 차며 강황이 울금보다 약효가 세다고 수록 되어있어 참고하기를 바란다.

- 견과류와 씨앗을 먹자

뇌혈관 건강에 좋은 견과류는 혈관 벽의 노화를 늦추고 혈전의 생성을 막는 항산화 성분이 풍부한 견과류들이 다양하다. 땅콩, 캐슈너트, 호두, 아몬드, 해바라기씨, 피스타치오, 아마씨, 피칸, 등은 뇌세포에 좋은 지방산들이 많이 들어있다.

- 오메가-3 지방산을 섭취하자

오메가-3는 알파 리놀렌산, DHA, EPA 같은 불포화지방산을 말한다. 생들기름, 연어와 고등어, 참치, 등 푸른 생선에 많이 들어있다. DHA 성분은 기억력과 학습력을 높여 치매 예방에 효과가 있다. EPA 성분은 중성지방, 콜레스테롤 수치를 낮춰주어 혈액을 깨끗하게 해준다. 그 외 혈액 응고를 막고 심혈관질환, 염증 억제 등의 효과가 있는 좋은 지방산이다.

- 진한 녹색 채소를 많이 먹자

뇌세포를 건강하게 해주는 녹색 채소들을 많이 먹자. 케일과 시금치, 브로콜리, 양배추 등 다양한 종류들이 있다. 푸른잎채소들은 다양한 영양소와 섬유질이 가득해서 노화와 관련된 인지 쇠퇴를 늦추는 것으로 알려져 있다. 또, 뇌혈관을 깨끗하게 해주어 뇌졸중 위험을 줄인다. 접시에 담긴 음식이 다채로운 색깔을 가질수록 두뇌에 더 좋은 음식이라는 것도 알고 있자

- 베리 종류를 먹자

블루베리, 체리, 딸기, 블랙베리, 라즈베리 등은 기억력향상과 학습 능력에 도움이 된다. 뇌 세포손상을 막아주는 항산화 물질들이 풍부하다. 베리류에는 플라보노이드라는 강력한 항산화 물질이 들어있어 뇌의 혈액순환을 원활하게 도와주고 신경세포를 손상하는 신경염증을 조절한다. 또한 신경세포의 재생을 돕는다. 플라보노이드가 풍부한 식품으로는 다크초콜릿, 자두, 시금치, 케일 등이 있다. 12년 동안 70세 이상 1만 6,000명을 조사한 한 연구에서는 베리류를 더 많이 섭취한 노인 여성의 경우 인지기능 저하 속도를 최대 2.5년 늦출 수 있다는 보고도 있다.

- 녹차를 마시자

녹차에는 체중감량 효과, 노화 방지 등 여러 효과가 있지만 뇌세포 보호 기능과 인지기능 향상은 물론 스트레스 감소를 시키는 등 뇌 건강과 관련된 이로운 점들도 많다. 녹차는 토마토, 브로콜리, 마늘 등과 함께 미국 시사주간지 '타임'이 선정한 '세계 10대 건강식품'에 속할 만큼 이로운 식품이다. 일본의 시즈오카 장수마을의 건강 비결도 녹차를 꼽고 있다. 과유불급이듯이 카페인 성분도 들어있어 과다복용은 삼가야 한다.

- 유제품을 먹자

우유와 유제품에 들어있는 풍부한 미네랄인 칼슘·마그네슘이 치매 발생위험을 낮춘다는 연구 결과는 이미 나왔다. 노인들이 하루

한 컵 정도의 우유와 유제품을 섭취하면 알츠하이머병, 혈관성 치매 등 치매 발생위험이 31% 낮아진다는 일본 규슈대학 국제심포지엄 발표 내용도 있었다. 국내 연구에서도 저지방 유제품은 노화 과정 중에 신경인지 건강에 유익한 효과를 가지는 것으로 밝혀지고 있다.

 * 그 외 전문가들이 추천하는 치매에 좋은 음식으로는 해산물, 자소엽, 코코넛오일, 콩류, 시금치, 브로콜리, 올리브오일, 노루궁뎅이버섯, 초석잠, 홍삼, 건포도, 다색의 과일(피토케미컬 함유), 양질의 단백질 등이다. 골고루 내 건강 상태를 고려하여 전략적으로 건강에 좋은 음식을 찾아서 먹자. 아무리 좋은 영양보충제도 건강한 식단을 대체할 수는 없다.

 - 악기를 배우자
 독일 연구팀에서 60~70대 노인을 대상으로 연구했다. 피아노를 배우면 다른 악기보다 치매 예방에 더 많은 도움이 된다는 결과였다. 나이가 들면 뇌 백질(뇌의 속질 부분이며 뇌의 여러 부위를 연결하는 신경섬유로 이뤄져 있다)이 줄어드는데 매일 40분씩 연습하고 매주 1시간씩 레슨을 받은 그룹은 뇌의 백질 밀도가 변화가 없었다. 이는 뇌 기능의 저하가 없는 것으로 시사되는 것이다. 그에 비해 다양한 음악을 들은 그룹은 뇌의 백질 밀도가 감소해 치매와 기억력 문제가 발생할 가능성이 높아진 것으로 나타났다. 이 연구는 60대 이후에 연주를 시작하는 것이 치매 예방에 도움이 된다는 사실을 입증했다고 말했다. 꼭 피아노가 아니더라도 악기를 하나 배우는 것은 뇌 활성화에 도움을 줄 것으로 본다.

- 미술 활동을 즐기자

미술 활동은 대상자에게 즐거움을 주며 집중력, 상상력, 창의력, 스트레스 해소, 자존감 향상을 높이는 활동이다. 또, 화려한 색 인지 활동으로 대상자의 우울한 마음도 달랠 수 있다. 그래서 요즈음 색이 가진 에너지와 성질을 이용하여 신체와 정신을 치료하는 방법인 컬러 테라피가 인기가 있다. 집에서 혼자서 할 수 있는 미술 활동으로는 어르신들이 사용할 수 있게 만들어 놓은 다양한 활동지 책들이 시중 서점에 많이 나와 있다. 인지능력에 맞는 수준의 책을 구입해서 가정에서도 치매 예방 활동으로 활용해 보는 것도 좋다.

종이접기도 추천한다. 종이접기는 손을 많이 사용하여 손 운동이 되고, 순서를 외워서 접어야 하므로 뇌를 많이 자극한다. 치매 환자들은 평소에 손을 그렇게 많이 사용하지 않게 되는데 소 근육을 자극하는 것만으로도 뇌 위축을 더디게 할 수 있다. 인지 활동을 할 때는 대상자가 좋아하는 음악을 틀어 드리면 좋고, 색종이 접은 것을 색 도화지에 붙이게 하면 작품 활동이 되어 성취감을 더 가지게 된다.

- 퍼즐·보드 활동을 즐기자

퍼즐·보드 활동은 다양한 형태와 난이도가 있다. 조각을 맞추거나 문제를 해결하는 과정에서 뇌의 다양한 영역을 활성화한다. 글자퍼즐, 그림퍼즐, 스도쿠 등 다양한 퍼즐로 사고력, 기억력, 집중력을 향상하고, 가족이나 친구와 함께 풀 때는 사회적 상호작용을 촉진 시키는 데도 도움이 된다. 퍼즐을 완성하고 나면 스트레스도 풀어진다. 현장 활동에서 어르신들이 집중해서 문제를 해결하고 나면 성취감을 많이 느끼는 것을 보기도 한다.

퍼즐·보드 활동은 일상생활에서 쉽게 접할 수 있는 치매 예방법 중 하나이다. 퍼즐 학습지와 다양한 보드도 시중 서점에 많이 나와 있다. 연구에서도 체스, 크로스 퍼즐 등 뇌에 도전하는 활동에 자주 참여하는 것이 노인들 사이에서 치매 발병 위험이 낮은 것과 관련이 있는 것으로 나타났다.

* 고스톱을 치는 것은 치매 예방이 될까?

강의 대상자를 만날 때 많이 받는 질문이다. 고스톱이 치매 예방이 된다고 하는 전문가도 있고 안 된다고 하는 전문가도 있다. 고스톱에 대한 임상 연구는 아무리 찾아봐도 없다. 생각해 보니 고스톱의 연구는 상당히 어려울 것 같다. 화투도 보드게임의 일종이므로 고스톱을 치는 것은 치매 예방이 전혀 안 된다고는 못 할 것이다. 그러나 고스톱을 어떻게 치느냐에 따라 예방효과는 다르다고 생각된다. 고스톱은 초보자에게는 분명 치매 예방이 되는 인지 활동일 것이다.

고스톱이 치매 예방 활동이 되는 이유는 화투에 나와 있는 그림인 1월의 '솔'부터 12월의 '비'까지 상징하는 숫자도 알아야 하고, 규칙도 알아야 하며, 같은 것끼리 맞추는 법, 상대가 내는 것에 따라 전략도 짜야 한다. 또 더 높은 점수를 가지기 위해 '고'를 할 것인지 현재의 승에 만족하고 '스톱'을 할 것인지 등 뇌의 종합 판단력과 정보 능력이 필요한 활동이기 때문이다.

그러나 고스톱을 잘 치는 타짜(노름판에서 남을 잘 속이는 사람)는 어렵지 않게 게임을 진행해 나갈 것이다. 이럴 때는 뇌가 덜 활성화되는 것이다. 타짜가 아니라도 경로당 일부 어르신들을 만나보면 많은 시간 고스톱을 치고 있는 분들이 계신다. 이미 경기규칙이나 점수 계산 등 타짜 같은 분들이 많다. 그러면 이분들은 치매에 안 걸린다고 할 수 없지 않을까 싶다. 오랜 반복에 의해서 몸이 익히는 절차기억까지 들어가면 나중에는 '고스톱만 잘 치는 치매 환자가 될 수도 있겠다.'라는 생각을 할 때가 있다. 그래서 고스톱은 어떤 수준의 사람이 어떻게 치느냐에 따라 치매 예방효과가 다르다고 말할 수 있겠다.

- 음악 활동도 즐기자

다양한 예술 활동이 있지만 음악도 뇌와 밀접한 관련이 있다. 음악 활동은 듣고만 있어도 마음의 평온과 스트레스를 해소한다. 음악활동은 불안하거나 초조함, 우울함 들을 치료하는 아주 좋은 비약물적 요법 중 하나이다.

2021년 미국 피츠버그 대학교 연구에 따르면 종류에 상관없이 음악 활동에 적극적으로 참여하는 것만으로도 알츠하이머병 환자와 경도인지장애 환자들의 인지기능과 기억력 회복에 도움이 된다는 사실을 발견했다. 합창하거나 두드리는 타악기 활동, 노래를 듣거나 부르거나 따라 하는 것은 노인에게 뇌를 활성화하는 좋은 활동들이라고 연구진들은 말했다.

아래에서 보듯이 캐나다인들은 하루에 한번씩 크게 노래를 불러 치매 예방이 되었다고 한다. 우리도 아침에 3곡 정도의 노래를 불러 뇌를 충분히 깨워서 하루를 시작하라고 하는 의사도 있다. 뇌는 내가 음치인지 박치인지도 모른다. 그냥 소리 내 운율을 넣어 쉬운 동요부터 좋아하는 트로트까지 노래를 즐겨 불러보자. 감정을 불러일으키는 음악의 힘은 정상인과 치매 환자 모두의 뇌에 좋은 영향을 준다.

* 2015년 1월로 기억한다. JTBC 방송에서 '세계인의 치매 예방 비법 5위'를 소개했다.

1위: 인도인의 매일 음식이나 차로 강황 먹기(강황에 들어있는 커큐민 성분은 뇌 신경전달물질인 아세틸콜린을 분해하는 효소의 활성을 감소시켜 치매 예방에 효과가 있다.)

2위: 캐나다인들의 하루에 한 번 큰 소리로 노래 부르기(노래를 부르게 되면 세로토닌, 도파민 같은 행복 호르몬이 분비되어 뇌에 있는 정서와 감정체계를 자극해 뇌 기능저하를 막을 수 있다고 한다.)

3위: 대한민국의 깻잎 먹기(깻잎에는 로즈마리보다 로즈마린산이 7배 더 함유되어 기억력 감퇴, 항염증, 항산화가 풍부하다. 로즈마리산 함유 비율은 로즈마리 11mg : 깻잎 76mg이었다. - 농촌진흥청 연구)

4위: 일본의 외발자전거 타기(균형잡기 운동인 외발자전거 타기가 집중력을 높이므로 두뇌가 좋아진다. 일본 도쿄 의학전문 대학원 연구에서 한쪽 다리로 20초 이상 서 있지 못하면 뇌의 미세 출혈이나 뇌졸중 또는 치매의 위험신호일 수 있다고 발표했다.)

5위: 미국인의 코코넛오일 마시기(미국 53세의 초로기 치매에 걸린 남자가 코코넛 오일을 섭취하고 치매가 개선된 사례가 나왔다. 이 사실을 안 연구진들의 연구에 의하면 치매 환자의 뇌는 기능이 점차 쇠퇴하여 가는데 코코넛 오일이 에너지원 역할을 해 뇌에 필요한 산소를 공급한 것이라고 전했다. 미국 식품의약청 FDA는 치매 환자에게 처방하는 MCT 오일과 코코넛 오일을 섭취할 것을 권장하는 등 안전한 식품 목록에 코코넛 오일을 올린 바가 있다고 한다.)

- 청력을 보호하자
노화로 인한 청력 손실이 인지 저하, 인지장애 및 치매를 예측할 수 있는 위험 요소로 작용한다는 연구들이 많다. 경도 난청의 경우 약 2배, 중등도 난청일 경우 약 3배, 고도 난청일 경우는 약 5배가량 각각 높다는 미국 존스홉킨스대와 국립노화연구소 연구가 있다. 청력이 저하되면 빨리 보청기를 착용하는 사람이 그렇지 않은 사람보다 치매 위험이 낮았다는 최근의 연구들이 있다.

난청이 치매를 부르는 이유를 연구 학회에서는 "인지능력은 나이가 들수록 저하되고 이를 극복하기 위해 지속적인 외부 자극이 대뇌로 제공되는 것이 중요하다. 외부의 적절한 청각 자극 및 정보가 중추신경계에 전달되고 통합이 돼야 인지 기능 및 판단력이 유지된다. 이 시기에 정확하고 적절한 청각 정보를 받아들이지 못하면 인지기능이 저하될 가능성이 높다는 것이 청력저하가 치매를 초래한다는 유력한 가설로 제시되고 있다"고 밝혔다. 청력이 저하되면 빨리 보청기를 착용하기를 권한다.

- 오래도록 일을 하자.

일을 하는 것은 신체활동, 정신활동, 사회활동을 동시에 하는 완벽한 치매 예방 활동이다.

건강이 허락하는 한 최대한 오래도록 일을 하는 것이 신체 건강은 물론 뇌 건강을 지키는 길이다.

- 구강 관리를 잘하자

치아 건강이 좋지 않을수록 치매 발생률도 높고 삶의 질도 떨어진다, 씹는 행위 동안 치아와 혀의 움직임이 뇌를 자극하는 데 도움을 준다. 씹는 것과 뇌 기능에 대한 연구에서 보면 음식을 씹는 자극은 신경세포 수를 증가시켜 치매 예방에 효과가 있다고 알려져 있다. 노년기에는 치아 상실의 문제가 많다. 남아있는 치아 수에 따라 치매 발병률이 달라진다는 연구도 있다. 또 최근 연구는 잇몸에 염증을 넘어 잇몸뼈 주변까지 진행된 치주염은 치매와 많은 관련이 된다는 보고가 있으며, 치주 질환자는 심혈관질환과 폐렴 발생률이 증가한다는 연구도 있다. 정기적인 구강 관리는 치매로부터 멀어지는 좋은 습관을 지니는 것이다.

* 우리나라에서 치매를 관리하기 위해 만든 기구인 '중앙치매센터'에서 하는 '치매 예방수칙 3.3.3' 캠페인이 있어 알아본다.

3권(勸) : 권하는 것
일주일에 3회 이상 걷기, 독서, 양질의 식사
3금(禁) : 참을 것
금연, 절주, 뇌 손상 예방
3행(行) ; 챙길 것
건강검진, 소통, 치매 조기 발견

* 치매는 시한폭탄! 준비하지 않으면 재앙이다.

"당신이 85세 이상 살기를 원한다면 선택할 수 있는 것은 두 가지다. 알츠하이머 병에 걸리거나 치매 걸린 노인을 돌보는 것이다." 몇 년 전(2024년 기준) 미국 과학자 사무엘 코헨이 한 말이다. 그만큼 치매 환자가 늘어날 것이라는 말이다. 치매는 영혼이 멈춘 사람도, 곁에서 이를 지켜보며 돌봄 노동을 해야 하는 사람도 삶이 파괴되는 병이라고 서두에서도 말했다.

이렇게 나를 잃어버리고 가족을 힘들게 하는 무서운 치매에 걸리지 않으려면 누구라도 지금부터 미리 예방하는 습관을 지녀야 한다. 치매는 한 달 전에 걸려서 오는 병이 아니라 했다. 특별한 경우를 제외하고는 20여 년가량 전부터 치매라는 씨앗이 우리 몸에 들어왔던 것이 70~80세에 나타나는 것이다. 그래서 미리부터 치매 예방을 위한 노력과 조기 발견, 지속 치료의 중요성을 잘 알아서 치매로부터 스스로와 가족을 지키기 위해 노력해야 한다.

* 치매 조기 발견과 지속 치료의 중요성
치매는 조기에 발견해 적극적으로 치료를 받으면 진행 속도를 늦출 수 있다. 기억력 저하나 성격 변화가 갑작스럽게 오는 등 의심 증상이 보인다면 병원을 찾아가 검사를 해야 한다. 치매는 종류에 따라 적절한 치료법이 다른 만큼 빨리 전문가를 찾아가는 것이 좋다. 치매 조기 발견의 좋은 점을 중앙치매센터 자료를 참고해서 알아본다.

-치매 어르신 100명 중 5~10명은 치료 효과를 기대할 수 있고 완치될 수 있다.

치매의 다양한 원인 중 일찍 발견해서 치료하면 회복될 수 있는 것들이 있다. 뇌종양, 중증 우울증, 갑상선 질환, 영양 문제, 약물 부작용 등의약물 부작용 등이 원인일 때이다.

-큰 치료 효과를 기대할 수 있다.
치매의 진행을 늦출 수 있는 약물치료를 초기에 빨리 시작할수록 건강한 치매 어르신의 모습을 가능한 한 오래 유지할 수 있다.

-체계적 치료와 관리로 환자의 삶의 질을 높일 수 있다.
당뇨, 고혈압, 고지혈증 등 동반 질병 관리를 체계적으로 관리하고, 두뇌를 활성화하는 인지 활동, 운동 등 비약물적인 관리를 통해 환자의 삶의 질을 높일 수 있다.

-다양한 문제를 미리 대처할 수 있다.
병이 악화하여 판단력 등이 상실되기 전에 경제적, 법적(유산) 문제들을 미리 대처할 수 있다.

중앙치매센터 자료에는 치매를 조기 발견하면 치매 환자의 가족은 8년간에 약 7,800시간의 여가를 가질 수 있고 6,400만 원을 절약할 수 있다고 했고, 치매 초기 단계부터 약물치료를 시작하여 관리하면 5년 후 요양시설 입소율이 55% 감소한다고 했다.

또 치매 발병 3년 후 치매 환자를 방치했을 때는 치료한 환자에 비해 돌봄 시간으로 매일 2시간이 더 소요되며, 8년 후에는 매일 4시간을 더 소요 하게 된다고 했다.

.알츠하이머병 환자는 사망 전 마지막 3~5년은 심각한 장애 상태가 유지가 된다고 한다. 환자에게 약물치료와 비약물적 치료를 계속했을 때는 이런 심각한 장애가 지속되는 기간을 3~5년에서 1년 이내로 줄일 수 있다고 했다. 이렇게 적극적으로 치매 환자를 돌보면 보호자의 심리적·경제적 부담을 상당히 덜어 줄 수 있을 뿐 아니라 국가적으로도 치매 환자를 위한 의료비 등의 경제적인 부담을 크게 줄일 수 있다. 환자를 방치해서 시간이 지나면 더 많은 시간과 비용이 든다는 것을 알아야겠다.

'치매는 치료보다 예방!' 최고의 약은 '조기 발견과 예방' 누구든지 흘려들어서는 안 되는 말이다.

.치매가 진단되면 치매 치료의 효과가 금방 눈앞에 보이지 않더라도 치매 치료와 관리를 꾸준히 해야 한다. 치매 환자는 잠시 증상이 좋아졌다 다시 나빠지기를 반복하는 환자들도 주위에서 보았다. 치매 진단 후 약을 복용 후 일시적으로 좋아지는 분도 있는 경우가 있다. 이럴 때 보호자는 좋아할 수도 있지만 증상은 일시적일 수가 있다는 것도. 그리고 또다시 나빠질 수도 있다는 것도 알고 있자.

안타까운 일이지만 일단 진단을 받으면 꾸준히 지속해서 돌봄을 해야 한다는 마음가짐이 중요하다. 시간이 지나도 좀처럼 좋아지는 것이 보이지 않을 때 간혹 치매 치료약이 효과가 없다고 생각하고 보호자가 일방적인 판단으로 환자에게 약을 안 드시게 하는 분도 계신다. 내가 잘 아는 한 분도 "남편이 약을 먹어도 차도가 없어 약을 끊었다"라고 하신 분도 실제로 계셨다. 이런 결정은 잘못된 판단이라고 전문가들은 말한다.

치매를 진단받고 드시는 약에는 남아있는 세포들이 더 연결이 강화되어 살아있는 세포들의 효율성이 좋아져 기억을 좋게 만드는 역할을 하는 치료제도 있고, 치매 환자가 드시는 또 다른 약에는 당사자가 아니면 이해하기 힘든 치매 신경 정신 증상이 나타나 문제행동을 할 때가 있을 때 먹는 약도 있다. 이런 효과들이 있는 약도 있으므로 약을 보호자 마음대로 중단해서는 안 된다. 병과 치료 과정을 잘 이해하고 우리가 모두 함께 풀어가야 하는 난치병으로 생각하고 조급한 마음은 내려놓아야 한다.

치매 유병률을 낮추기 위해서 국가와 사회는 치매에 관해서 관심을 가지고 노력하고 있다. 환자 치료뿐만 아니라, 치매 환자와 행복하게 동행할 수 있는 법 등도 연구하고 있으며 이런 일들을 맡아서 하는 전문적인 기관에서 예방과 관리는 물론 걸린 치매도 예쁜 치매를 만들기 위해서 모두가 노력하는 중이다.

예쁜 치매가 되면 사랑하는 가족과 함께 오래도록 같이 지낼 수가 있다. 치매 환자 중에서도 모든 기억이 모두 사라졌지만 늘 언제 어디서나 누구를 보더라도 "고맙습니다."라는 말만 하시는 환자도 있다. 치매안심센터 인지 저하 어르신 교육에서 만나는 보호자 중에는 "우리 가족은 참 착한 사람하고 살아가고 있다고 생각해요."라고 말씀하시는 분도 계신다. 이렇게 적절한 단계별 대응과 치료 약으로 지속해서 잘 치료하고 관리하여 드리면 예쁜 치매로도 갈 수 있게 돕는 것이다.

'치매'하면 너무 부정적이거나 안 좋은 생각을 하는 편견을 내려놓자. 초기 발병 시에는 원인치료를, 그다음 증상치료를, 그리고 이 증상치료를 할 방법이 있다는 것도 알자. 이것을 잘 알고 적극적으로 환자와 동행하고자 노력하는 태도가 되어야 예쁜 치매로 바꾸어 드릴 수가 있다.

약도 필요하고 보호자가 알아야 하는 웬만한 전문적인 지식도 필요하다. 또 사회도 함께 도와 가야 한다. 이렇게 될 때 치매는 불치병이 아닌 난치병으로 더 쉽게 접근할 수 있을 것이다. 가족과 전문의와 사회 환경이 조화를 이뤄나가서 더 많은 환자가 예쁜 치매가 되어 좀 더 나은 삶을 살아갈 수 있게 되기를 바라며 우리 개개인 모두도 관심을 가지자.

운동만큼 중요한 뇌 건강 음식?

　무엇이 좋고 무엇이 안 좋다는 것들의 연구들은 언제든지 바뀔 수가 있으며, 연구마다 다른 결과가 많다는 것도 미리 알아두기를 바란다.

　앞에서 말했듯이 알츠하이머병 치매가 발병하는 것은 유전적인 요인도 미치지만, 더 중요한 것은 '우리가 무엇을 먹고, 어떻게 움직이고, 어떤 생활을 하며 살아가는가?'와 같은 생활 습관과 밀접한 관련이 있다고 했다. 즉 생활 습관을 의식적으로 건강한 쪽으로 고쳐 나가면 알츠하이머병을 멀리할 수 있다는 것이다. 그래서 '치매는 생활습관병'이라는 말을 틀렸다고 말하는 전문가들이 없다.

　30년 동안 알츠하이머를 연구한 세계적인 신경변성질환의 권위자이며 '알츠하이머의 종말' 저자인 데일 브레드슨 박사는 영양과 호르몬, 스트레스, 수면 등의 생활 습관 개선을 통해 알츠하이머에서 멀어지자고 하며, 이를 예방하는 '리코드(ReCODE)법'을 개발하여 큰 관심을 불러일으켰다.

리코드는 '인지기능 저하의 회복'이라는 의미의 영어 약자를 딴 것이다. 약물이 아닌 일상생활 속에서 식사 개선 및 환경 정비를 통해 질병을 치료하는 프로그램이다. 여기에서는 알츠하이머에 취약한 사람들은 잘못된 생활 습관을 지녔다고 말하고 있다. 특이한 영양제를 먹거나 어떤 안 좋다는 음식을 가려먹는 것 보다 잘못된 생활 습관을 바로잡는 것이 가장 중요한 해결책임을 강조하고 있다.

.만성 염증을 예방하는 음식을 먹자

데일 브레드슨 박사는 염증이 치매와 밀접한 연관이 있다고 했다. 서서히 진행되는 만성염증은 노화나 생활 습관이 주요한 원인이라고 한다. 이 만성염증이 당뇨병, 혈관장애, 치매, 뇌졸중과 같은 병과 관련되어 있다는 지적이 있고, 수명과도 연관이 있다는 연구도 있다. 만성염증의 정도는 노화와 함께 서서히 높아지고, 만성염증의 수치가 자기 나이 또래에 비해 낮은 사람일수록 장수한다는 일본 백수 종합연구센터의 연구도 있다. 그러므로 고령자의 경우 만성염증에 더 주의를 기울여야 한다. 나이가 들어가면 갈수록 염증 처리 능력이 떨어지고, 체내에 쌓이게 된다.

만성염증에 많은 영향을 주는 것은 역시 생활 습관이라고 알려져 있다. 만성염증을 억제하기 위해서는 먼저 염증을 유발하는 물질을 몸속으로 들여보내지 않아야 한다. 그리고 염증을 억제하는 물질을 적극적으로 섭취해야 한다. 간단한 이야기 같지만, 이 방법이 최선이라고 전문가들은 말한다. 즉, 건강한 음식을 먹은 사람은 건강해질 것이고, 건강하지 못한 음식을 먹은 사람은 건강하지 못할 것이다. 잘못된 습관을 오래 유지할수록 만성염증이 많은 상태가 될 것이다.

비만에 대해서 앞에서도 나왔지만, 비만에서 탈출하는 것도 염증으로부터 해방되는 것이다. 복부에 쌓인 체지방이 염증 반응의 주원인이기 때문이다. 지방세포는 염증 물질인 아디포카인을 분비하고, 신진대사를 방해하여 지방이 더 잘 축적되게 한다.

올바른 자세도 중요하다. 바른 자세는 림프의 순환을 도와 노폐물 배출이 원활하여 염증 물질이 쌓이지 않게 하는 것이다, 바른 자세로 앉는 것만으로도 뇌로 가는 산소의 양을 늘릴 수 있다고 한다. 또, 햇볕을 쪼이는 것이 염증을 억제하는 한 방법이다. 햇볕은 몸에서 합성할 수 있는 비타민 D를 만들어 체내 염증 억제를 강화한다. 흡연도 호흡기를 통해 몸속으로 들어오는 체내 염증을 악화시키며, 미세먼지 역시 염증을 부르는 요인이다.

항염증 식품으로는 과일류, 녹황색 잎채소, 마늘, 토마토, 올리브유, 시금치, 견과류, 강황, 생강, 녹차, 홍차 등이 있다. '내가 먹는 것이 곧 내가 된다'라는 말을 했다. 우리가 먹는 것이 곧 우리의 건강을 나타내는 증표이고 먹는 것에 따라 건강과 정서까지 결정된다는 뜻으로 건강하게 살기 위해서는 지혜로운 방법으로 음식을 먹어야 한다.

. 보통 무슨 영양소가 부족한가?

국민건강영양조사 결과에 따르면 우리나라 65세 이상 노인의 영양 섭취 부족자분 비율이 2021년 22.8%로 노년기 영양상태가 심히 우려되는 상황이라고 나와 있다. '신종 영양실조' 혹은 '배부른 영양실조'라고 하는 말이 있다. 먹는 것이 넘쳐나는 세상이고 먹고 싶은 음식을 어디서나 살 수 있는 환경에 살고 있지만 영양이 부족한 상태로 살아가는 사람이 많다는 것이다. 충분히 먹지만 영양소가 부족한 사람을 '신종 영양실조' '배부른 영양실조'라고 부른다.

특히 고령자 중에서도 신종 영양실조 자가 많다고 한다, 반찬 없이 먹는 덮밥류, 면류, 빵과 같이 당질 과다 식사를 즐기는 사람들을 말하고 있다. 신종 영양실조 상태가 된 사람들은 치매로 가는 지름길을 걷고 있다고 했다. 현대인에서 부족한 영양소를 살펴본다.

- 단백질

근육을 이야기하는 부분에서도 나왔듯이 노년에 꼭 단백질을 충분히 섭취하라고 모두가 권하고 있다. 그러나 막연하게 들릴 뿐 크게 와 닿지 않는 분들이 많을 것이다. 단백질이 우리 몸에서 어떤 일을 하는지 알고 나면 섭취하는 데 더 적극적으로 될 것이다.

  단백질(protein)은 다양한 기관의 효소, 신경전달물질, 호르몬으로 모든 세포를 만드는 등 신체를 이루는 주요성분으로 생명을 유지하는 데 필수적 영양소이다. 단백질이 부족하면 인지기능의 저하뿐만 아니라 수명도 단축된다고 한다. 또, 단백질이 부족하면 신체의 불균형 이상 현상이 일어난다. 고령층일수록 체내 근육은 감소하고 지방이 증가하므로 꾸준히 단백질 섭취를 하는 것이 중요하다. 하루 단백질 권장량은 자신의 몸무게 1kg당 1g 이상 섭취하면 된다.

  즉, 체중 60kg인 사람은 60g~90g 남짓의 단백질을 먹으라는 것이다. 계란은 7~8개를 돼지고기는 230~350g 정도이다. 단백질을 섭취할 때는 한 끼에 다 먹는 것 보다 아침, 점심, 저녁을 드실 때 조금씩 나누어 먹는 것이 우리 몸에서 근육을 만드는 데 더 도움이 된다는 연구들이 있다. 그러면 단백질이 우리 몸에 미치는 영향은 무엇인지 짚어보자.

  .근육량과 근력 유지 및 증가
  .면역기능 강화
  .뼈 건강을 유지하고 지원
  .심혈관 건강, 혈압 조절 등 중요한 역할을 하고 있다.

*달걀노른자가 뇌 영양제다

달걀노른자를 콜레스테롤이 높다고 안 드시는 분들이 주위에 많이 계신다. 하루에 달걀노른자 한 알 정도는 건강에 아무 문제가 되지 않는다고 하는 전문의들의 의견이다.

달걀노른자에는 눈에 좋은 비타민 A와 비타민E, 비타민D, 철분, 인, 칼륨이 풍부하고 레시틴이라는 성분이 들어있어 근육 성장, 뇌 기능 향상, 눈 건강 개선(루테인과 지아잔틴 함유), 심혈관질환 예방과 같은 많은 효능을 가지고 있다. 또, 뇌 영양제에 들어있는 콜린이 다량 들어 있으니 치매 예방을 위해서 굳이 약을 먹지 않아도 식품으로 섭취하면 된다고 전문의들도 말한다. 하루에 달걀노른자 한 개 먹기를 실천하면 어떨까.

- 식이섬유

식이섬유는 현대인들에게 부족한 영양소 중 하나이다. 동물성 지방을 많이 섭취하게 되면서 상대적으로 채소나 곡류 섭취량이 적어져 부족을 초래한다. 몸속 면역세포의 70~80%가 장내에서 생성된다고 한다. 식이섬유는 만성질환 예방에도 도움이 된다고 하는 영양소이기 때문에 더 주목받고 있다. 장 속에 있는 세균이 식이섬유를 분해할 때 생기는 지방산은 뇌의 염증을 억제하여 뇌를 활성화한다. 그래서 치매 예방에 꼭 필요한 영양소이다.

하루 식이섬유 섭취량이 7g 늘어날 때마다 뇌졸중 위험이 7%씩 줄어들었다는 영국 리스 대학 연구가 있고, 하루 섬유질 섭취를

10g 늘리면 허혈성 뇌졸중 위험이 23% 낮아진다는 영국 옥스퍼드 대 태미 통(Tammy Tong) 박사 연구진의 유럽 심장학회 발표 논문 내용도 있다. 또 식이섬유를 많이 먹은 그룹과 아주 적게 먹은 그룹의 사망위험이 식이섬유를 많이 먹은 그룹에서 22% 낮았다는 미국 보건 연구원 식이·건강조사 발표도 있다.

식이섬유는 말린 목이버섯, 말린 고사리, 말린 표고버섯, 말린 고추, 홍차, 무말랭이, 콩류, 블루베리, 채소, 뿌리채소, 해조류, 견과류, 과일, 통곡물 등에 많이 들어있다.

- 양질의 지방
주요 만성질환 중 하나인 '이상지질혈증'은 우리가 살아가는데 빼놓을 수 없는 영양소인 '지질'(보통 지방이라 말한다)의 혈중 농도가 정상적이지 않은 상태일 때 나타난다. 이 질환은 동맥경화증의 주요 원인이며, 심각한 심·뇌혈관 질환으로 발전할 수 있어 부족하지 않게 챙겨야 하는 영양소이다. 오메가3나 콜레스테롤 등은 뇌를 활성화하는 중요한 지질인데 이런 지질들이 부족하거나 오메가 6의 섭취량이 많아서 균형이 무너지면 쉽게 피로하거나 뇌의 만성염증을 촉진한다.
지질의 함량이 높은 식품으로는 유제품과 육류, 견과류 등이 있다.

- 비타민, 미네랄
비타민과 미네랄이 부족하면 신체의 대사가 원활하게 이루어질 수 없게 되어 인지기능이 저하된다. 현대인에게 부족하기 쉬운 영양소는 비타민B군, 비타민D, 아연, 철 등이다. '배부른 영양실조'의 대표적인 영양소에 비타민과 미네랄이 들어간다. 질병관리청이 발표한 '2020년 국민건강영양조사'에 따르면 우리 국민 5명 가운데 이미 1명은 영양 불균형 상태인 것으로 나타났다. 그중에서도 비타민, 미네랄이 부족한 경우가 많았다. 철분, 엽산, 아연, 마그네슘, 망간 등을 관심 있게 챙겨 먹자.

  *영양부족의 요인 중 하나로 장의 만성염증을 개선하는 것이 그 무엇보다 중요하다고 한다. 장 점막에 만성 염증이 있으면 영양을 소화 및 흡수할 수가 없어 섭취한 영양분이 뇌까지 도달하지 못하고 영양부족 상태에 빠져버린다고 한다. 그래서 장을 '제2의 뇌'라고도 한다. 변비 증상이 있거나 설사나 변비가 반복되는 사람은 장이 염증 상태일 수도 있다. 뇌 건강을 위해서라도 장 건강을 잘 챙기자. 이렇게 현대인에게서 부족하기 쉬운 영양소를 4가지를 짚어 보았다.

  .치매를 멀리하는 식사법

  - 영양이 잘 잡힌 균형 있는 식사를 하자.
  아래에 나오는 연구에서와 같이 양질의 좋은 식사는 뇌 전체의 부피와 회백질, 해마(기억과 학습을 담당하는 부위)의 부피가 커지며 인지기능 유지와 향상에 도움이 된다.

- 지중해식 식사를 하자.

많이 들어본 이야기일 것이다. 지중해식 식사법은 등푸른생선, 해산물, 과일, 채소, 콩, 올리브유, 닭고기, 통곡물 등을 중심으로 한 식사법이다. 채소나 과일에 들어있는 폴리페놀(식물에서 발견되는 천연 화합물 그룹으로 항산화 작용)과 파이토케미컬(식물성 화학물질로 항산화 작용, 면역기능, 해독, 호르몬 증가작용) 이 풍부한 식품을 섭취하는 것은 혈관 건강이나 뇌신경 세포의 보호로 이어진다.

최근 건강한 식사법으로는 인공감미료와 포화지방산, 소금을 줄이는 대시(DASH)식 식사법과 지중해식 식사법을 조합한 마인더(MIND)식 식사법을 권장한다. 2015년 러시 의과대학 마사 클레어 모리스의 연구에서 시카고에 살고 있는 58~98세 남녀 923명을 대상으로 4.5년간 추적 조사를 실시하여 '식사법과 알츠하이머 발병의 연관성'을 연구하였다.

연구에서 이런 3가지 방식의 식사법(DASH 식사법, 지중해식 식사법, MIND 식사법)을 유지하면 뇌 신경세포의 염증을 예방하여 알츠하이머 치매의 개선도 기대할 수 있다는 결과를 내놨다. 3가지 식사법 모두 효과가 있다는 연구였다. 이 중에서도 마인더(MIND) 식단의 유효성이 가장 높았고, 마인더(MIND) 식단을 적당히 따르는 사람들에게서는 약 35%, 엄격히 실천한 사람에게서는 약 53%의 알츠하이머병의 발병 위험률을 낮추었다는 보고가 있다.

* 치매를 예방하는 'MIND 식단'

.통곡물을 하루 3번 섭취한다.

.녹황색 채소는 일주일에 6번 이상 섭취한다.

.베리류는 일주일에 2번 이상 먹는다

.견과류는 일주일에 5번 이상 섭취한다.

.닭고기, 오리고기는 일주일에 2번 이상 섭취한다.

.생선은 일주일에 1번 이상 섭취한다.

.콩류는 일주일에 3번 이상 섭취한다.

* 마인드 식단의 특징

.단순당, 정제 곡물을 먹지 않는다. (혈당을 급격히 올리지 않기 위해서)

.올리브유로 요리한다. (버터나 마가린 사용은 줄인다. 치즈는 주 1번 먹는다)

.붉은 고기(돼지, 소, 양) 섭취는 조금만 한다. (튀기지 말고 삶아 먹자)

.당이 적은 과일과 채소를 많이 섭취한다. (녹색 채소, 딸기, 견과류 섭취를 하자)

.술은 와인 기준 하루 한 잔만 마신다.

.

* 한국에서의 마인더(MIND) 식사를 위한 팁

렌틸콩(단백질 함량이 많고 저렴하다), 귀리, 현미 등 잡곡의 비율이 많은 밥을 지어 먹고, 반찬으로 나물이나 채소, 달걀 정도면 충분하다. 지중해식 식사라고 하면 와인을 마시거나 하는 거창한 식사를 생각하시는 분도 있는데, 한국의 한식 식단은 여기서 권장하는 식사법과 비슷하다는 것이다. 너무 어렵게 생각하지 않아도 된다.

이런 식사를 하고 나면 식이섬유가 많아서 포만감을 많이 느낄수가 있기 때문에 시간이 지나도 허기가 빨리 오지 않는 것이다. 또, 장기간 이런 식사법을 유지하게 되면 단순당을 통한 불필요한 허기나 식탐이 사라진다는 것이다.

블루존(장수하는 사람들이 많이 거주하는 지역)의 장수 어르신들은 100세가 넘은 인구가 많아도 대부분 노화로 인한 질병은 가지고 있지 않다고 한다. (블루존은 이탈리아의 사르데냐, 일본 오키나와, 코스타리카의 니코야, 그리스 이카리아, 미국 캘리포니아, 로마 린다 지역이다) 이들의 특징은 과식하지 않는다, 혈당을 갑자기 올리지 않는 식사를 한다. (렌틸콩, 현미, 귀리 등 통곡물을 많이 먹는다) 식물 위주의 식사를 한다. (거의 95%의 단백질을 식물에서 흡수하고 붉은 고기 섭취는 적게 한다) 그다음 식품 원재료의 형태가 살아있는 채로 섭취하면서 여러 가지 영양소를 흡수하고 당분은 적게 먹는다는 것이다.

그러나 생활하면서 좀 융통성 있게 예외인 날을 만들어 이 규칙을 어기고, 어떤 특별한 모임이나 회식 날에는 한 번쯤은 함께 어울려 같이 마음껏 먹고 다음 날부터는 또 건강한 식사법을 지키며 살아가야 장기적으로 실천하게 될 것이다.

-포화지방과 트랜스 지방은 피하자.

포화지방산은 고기를 구워 먹고 프라이팬을 상온에 그대로 두면 고체 형태로 굳어지는 것과 같은 기름이다. 포화지방은 우리가 살아가는 데 중요한 에너지원이지만 섭취량이 너무 많으면 혈중 콜레스테롤과 중성지방을 늘려 생활습관병이나 뇌졸중, 심근경색의 위험을 높여 혈관성 치매의 원인이 된다. 포화지방에는 지방함량이 높은 육류, 닭 껍질, 육가공품, 버터, 팜유, 초콜릿 등이 있다.

트랜스 지방은 햄버거, 피자, 전자레인지용 팝콘, 마가린, 마요네즈, 튀김류, 냉동 감자튀김 등에 들어있다. 트랜스 지방도 나쁜 콜레스테롤은 높이고 좋은 콜레스테롤을 낮추어 역시 뇌혈관질환을 일으킨다.

-나트륨 섭취를 줄이자

나트륨을 과하게 섭취하면 고혈압을 악화시켜 뇌혈관 질환의 원인이 된다고 하는 것은 누구나 알고 있다. 나트륨은 우리 몸에 꼭 필요한 미네랄이지만 적당량만 먹어야 한다. 세계보건기구 하루 권고량 2g(2,000mg)을 넘지 않게 습관으로 가져가면 된다. 우리나라 국민은 권고량의 1.5배 이상 과잉 섭취하고 있어 세계 최고 수준이다.

소금과 나트륨은 다르다. 소금 = 나트륨양 × 2.5로 계산하면 된다.
소금 1g을 알아야 나트륨 섭취를 줄일 수 있다.
소금 1g 바로 알기 : 작은술은 5g이며, 큰술은 15g이다.

-먹는 순서를 바꾸자
존스홉킨스의대 교수팀의 당뇨병환자 13,000명을 대상으로 20년 동안 코호트 연구한 결과 발표를 보면 식후에 혈당치가 급격하게 올라가는 '식후 고혈당' 상태가 되면 인지기능 저하와 연관성이 있다는 연구가 있다.

식후 고혈당을 억제하는 가장 쉬운 방법으로는 먹는 순서를 바꾸는 것이다. 반찬인 채소와 과일, 나물 등을 먼저 먹고 두부, 고기, 생선 등 단백질을 섭취한 다음 밥을 맨 마지막에 먹는 것이다. 이렇게 하면 식후 혈당 수치를 완만히 조절할 수 있다. 너무 쉬운 방법이라 '뭐 이런 것을' 할지 몰라도 과학적인 근거가 있는 방법이다. 단, 천천히 씹어 먹어야 효과가 있다고 보았다.

그 외 뇌 건강을 지키는 음식은 바로 윗부분에 나오는 제3장 2)의 '뇌의 노화를 멀리하는 생활 습관'에서 이야기했다.

4장.

사용하는 뇌는 늙지 않는다

뇌는 인간의 모든 것을 말한다. 인간의 뇌는 자란 환경, 생활 습관, 운동 경험 유무에 따라 다르고 근육이 많은 사람, 야윈 사람, 뚱뚱한 사람, 등 81억 명이 넘는 전 세계 사람의 얼굴 모양이 다르듯 뇌의 크기와 형태도 제각각이다. 사람은 스무 살이 넘으면 하루에 10만 개 가량의 뇌신경 세포가 파괴된다고 한다. 1년이면 3,650만 개 정도의 엄청난 숫자이지만 우리 뇌에는 수백억 개의 신경세포가 있기 때문에 실제로 하루에 10만 개가 파괴되는 것은 얼마 안 되는 숫자이다. 그래서 하루에 10만 개쯤 줄어드는 것은 크게 걱정하지 않아도 된다.

뇌 기능을 강화하려면 뇌신경 세포는 다른 신경세포와 연결되어 네트워크가 잘 형성되어야 한다고 했다. 이 네트워크가 강화될수록 뇌 기능은 좋아진다. 사람의 뇌는 유연하고, 계속해서 새로운 정보에 자극받으면 태어날 때부터 죽을 때까지 끊임없이 변화한다.

굳지 않는 뇌를 아시나요?

나이 들수록 뇌가 굳어진다는 통념에 사로잡힌 사람들이 많다. "늙어서 뇌가 굳어버렸나 보다." "이제 늙어서 머리가 안 돌아가서 아무것도 할 수가 없어" 이런 말을 수시로 되뇌며 살게 된다. 우주에서 가장 복잡한 물체가 뇌이다. 그렇기에 뇌는 아직 미지의 세계이다. 첨단 의학 기술이 발달했다고 하지만 이런 이유로 치매는 인류가 아직 정복하지 못하고 있다고 서두에서 말했다.

하지만 우리의 뇌는 다른 어떤 기관과도 다르게 사용하면 사용할수록 좋아진다는 것이다. 바로 '뇌 가소성' 때문이다. 뇌 가소성은 뇌세포와 뇌 부위가 유동적으로 변하는 것을 말한다. 기존 연구들에서는 뇌가 성장을 다 하면 뇌세포가 그대로 안정화한다고 하였으나, 최근의 연구 결과 들을 보면 학습이나 여러 환경에 따라 뇌세포는 계속 성장하거나 쇠퇴한다고 한다.

특히 기억과 학습을 담당하는 부위인 해마는 끊임없이 오래된 신경 세포는 쇠퇴하고 새로운 신경세포가 생겨나는 등 굉장히 활발한 뇌 가소성을 보인다고 보고하고 있다. 우리의 뇌는 새로운 활동이나 경험으로 신경세포 간의 새로운 연결을 만들어내며 변화한다. 새로운 것을 배울 때나 해보지 않았던 색다른 취미생활, 다양한 예술 활동, 사회생활에서 사람과의 만남, 타인을 위해 돕는 봉사활동 등은 뇌를 변화시키는 강력한 자극이 되어 뇌의 신경 연결망을 새롭게 한다. 이렇게 사람이 어떤 경험을 했느냐에 따라 뇌는 각각 다르게 변화하는 것이다.

이해를 돕는 좋은 연구 사례가 있다. 영국 런던은 유난히 복잡한 시내 도로를 가진 도시이다. 운전시험에 합격하려면 3만 9천 개의 거리 이름과 1만 5천 개가량의 건물 이름을 알아야 합격한다고 한다. 그래서 면허를 취득하는데 보통 2~4년이 걸린다고 한다. 이 도시를 운전하는 택시 운전사들의 해마(기억과 학습을 담당하는 곳)의 크기를 연구한 결과 크기가 일반인들보다 컸다. 더 놀라운 것은 택시 운전을 오래 할수록 뇌의 해마 부위가 커졌다는 것이다. 이 런던 택시 운전기사 검사에서 나타난 결과는 육안으로 보이는 뇌 구조의 크기와 그것의 쓰임새에 기여하는 환경적 요소 간의 관계를 최초로, 직접적으로 보여준 사례라고 한다.

이는 단련의 효과가 뇌의 노화 작용을 막는다는 것을 증명하고 있다. 왜냐하면 한 직업에 오랜 기간 종사한다는 것은 그 사람이 나이가 많다는 점을 암시한다는 것인데, 일반인은 늙어감에 따라 뇌가 축소되고 해마의 크기도 점차 줄어든다는 것을 생각해 보면 이 연구는 놀라운 사실로 받아들여진다. 학습이 곧 뇌에 강력한 변화를 불러온다는 것을 말해주고 있다.

두뇌의 가소성은 두뇌 회복을 도울 뿐만 아니라 두뇌 질환을 막는 역할도 한다. 이를 증명할 수 있는 연구를 소개한다. 이 연구 내용은 내가 맨 처음 뇌에 관한 공부를 할 때 특별히 머리에 남았던 내용이며, 현장 강의에서나 노인 상담을 할 때 많이 활용하는 사례이다. 뇌 공부를 할 때 읽은 하버드대 존 레이티 정신의학 교수가 펴낸 책 '뇌 1.4킬로그램의 사용법'에도 이 내용이 나와 있었다.

미국의 미네소타주에 있는 작은 시골 마을 만카토 수녀 학교 사례가 그것을 증명하고 있다. 이곳의 수녀들은 상당수가 아흔이 넘었고 놀랍게도 많은 수녀가 100세까지 살았다. 이들은 일반인들보다 장수한 것이다. 또 치매나 알츠하이머병 두뇌 질환 등으로 고생하는 경우가 적었다. 병을 앓는다 해도 아주 경미한 정도였다.

수년간 이들은 연구한 켄터키 대학교의 교수 데이비드 스노든이 그 이유를 알아냈다. 수녀들은 "게으른 마음은 악마의 장난감"이라는 생활신조를 갖고 단어시험, 퍼즐 활동, 간호 토론 등으로 부지런히 스스로를 단련했다고 한다. 매주 시사 문제 세미나를 열고 가끔 잡지사에 글을 쓰기도 했다. 수녀 마르크라 자크만 수녀는 97세까지 수녀원에서 가르치는 일을 멈추지 않았다. 또 다른 수녀 메리 에스더 부어도 99세까지 안내 데스크에서 일했다.

스노든 교수는 수녀원의 수녀들이 사망하면서 기증한 두뇌를 100구 이상 검사했다. 그 결과에 따르면 보통 사람이라면 나이가 들면서 감소했을 세포들이 지적인 자극이 충분하다면 확장되고 새로운 연결을 이룸으로써 일부 통로가 끊어진다 해도 대신 할 수 있는 더 큰 보완시스템을 제공한다는 것을 알아냈다.

고학력을 가지고 학교에서 가르치는 일을 하고 나이가 들어서도 계속 지적으로 어려운 일에 도전한 수녀들과 반면에 교육 수준이 낮고 청소와 음식 준비에 일생을 보낸 수녀들을 비교한 결과, 전자가 후자보다 장수하고 알츠하이머병을 더 잘 견뎌낸다는 사실을 발견했다.

노화와 두뇌를 연구한 다른 과학자들의 결론도 "지적 도전은 두뇌에서 신경연결을 증가시키는 수상돌기의 성장을 자극한다." 즉, 정신적으로 난이도가 높은 일에 도전할수록 더 많은 신경연결을 갖게 되는 결과다. 이것이 앞에서 말했던 '인지 예비력(인지비축력)'이다. '인지 예비력'을 키울 수 있는 한 방법으로 외국어 학습이 좋다고 앞 내용 '뇌의 노화를 멀리하는 생활습관'에서도 말했다.

우리 뇌는 계속해서 성숙하다가 30대가 되면 보통 대다수의 사람은 완전히 성숙해진다고 한다. 이렇게 성숙한 뒤 30대가 되면 자연적인 두뇌의 노화 과정으로 들어서기 시작한다. 이때부터 즘 신경세포들이 조금씩 감소하며 인지 저하가 나타날 수 있다고 한다. 그러나 앞의 연구에서 보듯이 뇌를 단련하면 노화 과정을 늦출 수 있다는 것은 확실하다.

또, 대부분의 사람은 40대 이후부터 뇌의 부피도 10년마다 평균 5%
씩 감소하게 되고, 기억력, 언어력 등의 감소를 경험하게 된다고 한다.
나도 뒤돌아보니 이 시기에 기억력이 떨어진다는 것을 느낀다고 말했
던 생각이 떠오른다.

학자들은 40대는 감정 조절을 잘할 수 있고 공감 능력도 잘 된다고
했다. 50대에는 정보력이 좋아지며, 새로운 정보를 더 잘 이해하고 배
울 수 있다고 한다. 이런 것을 보면 나이가 배움에 장애가 아니라는
것을 말하고 있다. 또 중년에 이르렀을 때가 젊었을 때보다 인지능력
이 더 좋아져 인생에서 가장 똑똑한 시기가 50대라고 말하는 학자도
있다. 믿기지 않겠지만 60~70대에는 어휘능력이 최고조에 달한다고
하는 연구자도 있다.

이렇듯 나이는 정말로 숫자에 불과하다. 내 삶의 기억장치를 부지런
히 닦고 조여서 뇌를 활성화할 수 있는 습관으로 만들면, 노화로 인한
인지 저하를 얼마든지 늦출 수 있다. 그렇게 되면 건강하고 행복한 중
년, 노년기를 맞이할 수 있을 것이다. 나이가 들면 모두 치매에 걸리
는 것이 아니라 본인의 노력 여하에 따라서 치매를 멀리할 수 있으니
정말로 희망적이지 않은가?

인간이 나이가 들면 필연적으로 치매에 걸린다고 하면 희망이 없겠
지만 이렇게 나이에 상관없이 본인의 노력 여하에 따라 결과가 달라지
니 다행인 것이다. 나는 이 사실에 항상 감사하고 싶다. 그리고 교육

대상자들에게 이 이야기를 강조한다.

'뇌는 항상 변할 수 있다는 사실을 기억하자!' 그리고 나이가 들어서 뇌가 망가졌다고 포기하는 것은 뇌를 잘 알지 못하는 사람의 행동이다. 평소 습관으로 두뇌를 자극하여 인지 예비력만 적당히 비축되면 두려워할 것이 아니다.

오해하기 쉬운 뇌 건강과 치매 상식

.치매는 정신질환인가?

치매는 기억이 없어지고 나의 존재를 잊고 나중에는 가족까지 몰라 보게 되는 무서운 병인 것이다. 그러나 꼭 알아야 할 것은 치매는 뇌의 병이라는 사실이다. 천형이나 팔자가 아니라 병이라는 것이다. 이것을 강조하는 것은 치매를 병이라는 사실을 인지하고 환자에게 접근해야지, 그렇지 않고 정신적 이상을 가진 정신병자라고 생각하게 되면 상식적이고 현명한 대처를 할 수 있는 방법에서 멀어져서 가족과 환자가 불행하게 될 수 있기 때문이다.

우리가 정신적으로 이상한 사람은 생각이나 감정이 지나친 사람을 말한다. 그 지나침 때문에 현실감각이 없는 사람이 정신병이다. 예를 들어 상갓집에 가서 웃거나 결혼식에 가서 울거나 하는 사람일 것이다. 그러나 치매는 무엇인가가 부족한 사람이다. 기억력이 감퇴하고, 말하는 능력이 떨어지고, 시공간 파악 능력 등이 떨어져 일상생활을 못 하는 상태를 말하는 것이다. 즉, 정신병과 치매는 동급이 아니라 다르다는 것이다. 하나는 지나침이고 치매는 무엇인가 모자라서 결핍된 상태인 것이다. 그래서 치매는 병이고 뇌의 기능이 감퇴하는 것이라는 것을 구별해야 한다.

.노인이 되면 누구나 치매에 걸릴까?

모든 노인이 치매에 걸리지는 않는다. 뇌를 활성화할 수 있는 습관으로 생활해 나가면, 노화로 인한 인지 저하를 얼마든지 늦출 수 있다고 했다. 실제 나이보다 20~30년 더 젊은 뇌를 가진 사람을 말하는 '슈퍼 에이저(Super Ager)'도 많이 계시고. 고령에도 전문적인 직업으로 활기차게 사는 분들도 많다. 105세에도 강연을 다니시는 김형석 교수님도 있지 않는가.

.나이가 들어도 뇌는 좋아질 수 있을까?

두뇌의 건강 앞에서 나이는 숫자에 불과하다고 했다. 자기의 노력 여하에 따라 얼마든지 강한 뇌를 가질 수 있다. 80대까지도 새로운 뇌세포는 생성된다. '뇌를 포기하기엔 그 누구도 이르다.' '내가 변하면 뇌도 변한다.'라고 했다. 꾸준한 운동은 뇌의 회백질과 해마의 크기가 줄어드는 것을 방지하고 심지어 크기를 늘릴 수도 있고, 건강한 식습관, 적극적인 사회활동, 꾸준한 뇌 활동을 하면 뇌는 나이와 상관없이 좋은 두뇌를 가질 수 있다는 사실을 잊지 말자. 뇌가 나이 드는 속도는 조절할 수 있다. 젊고 건강한 두뇌를 만드는 것은 바로 나 자신에게 달려있다는 것을 잊지 말자.

.치매는 불치병인가?

치매는 불치병이 아니고 고치기가 좀 어려운 난치병이라 했다. 치매를 조기 발견하면 10%~20%는 회복이 가능하다. 이렇게 조기 발견과 체계적인 관리를 하면 증상 완화를 기대할 수도 있고, 정신 행동도 조절할 수 있다.

.치매 환자는 모두 위험한가?

정신행동 증상을 나타내는 환자들도 있다. 일부 환자에게서는 공격적인 말을 하고, 화를 버럭 내고, 고함을 지르고, 위험한 행동이나 과한 행동을 하기도 한다. 그러나 모든 치매 환자가 그런 것은 아니다. 예쁜 치매, 미운 치매라는 말이 학술적인 용어는 아니지만 주위 사람들을 아주 힘들게 하지 않는 예쁜 치매에 걸린 사람들도 많이 있다.

.치매 환자는 아무것도 모를까?

치매 환자가 기억력 등 인지기능들이 약해지다 보니 그렇게 생각되겠지만 아무것도 모르는 것은 아니다. 치매가 많이 진행되었어도 모든 기억과 감정을 송두리째 잃어버린 사람은 드물다. 그래서 중증 치매 환자일지라도 감정은 남아있어 아무것도 모르는 것은 아니다. 여전히 감정과 감각을 느끼고, 자신이 좋아하는 것 등에 관심사를 가지고 있다.

.건망증이 치매의 초기증상일까?

건망증이 모두 치매의 초기증상은 아니다. 우리 뇌는 저장 공간을 확보하기 위해서 중요한 정보를 저장하는 데 방해가 되는 사소한 것들은 일부러 잊는다. 건망증은 정상인에게서 보이는 증상으로 복잡하거나 바쁘게 생활할 때 일시적으로 겪는 경우가 적지 않다고 한다. 이런 건망증은 뇌를 좀 쉬게 하거나 그 원인을 제거하면 좋아진다. 치매는 기억 손상을 초래하기는 하지만, 단지 기억력 손상만 문제가 되는 것은 아니고 지능, 학습, 언어 등의 인지기능과 정신 기능이 떨어지는 복합적인 증상이다. 그러나 건망증이 또래 나이보다 심하거나 지속되면 치매 초기증상일 수 있으니 검사를 받아 보는 것이 좋다.

.알츠하이머와 치매는 같은 병일까?

알츠하이머병과 치매의 두 단어는 다른 개념이다. 치매는 병명이 아니라 증상 명으로 이해하면 된다. 치매는 인지기능이 저하되어 일상생활에 지장이 있는 상태를 말하고, 알츠하이머병은 치매를 유발하는 가장 대표적인 원인 질환이다. 이 알츠하이머병이 76%가 넘게 큰 비중을 차지하며, 우리나라뿐만 아니라 전 세계적으로 많이 차지한다. 알츠하이머 증상은 기억력, 언어능력, 시공간 능력, 판단력 저하 등이 나타나는데 이 원인이 알츠하이머병인지 다른 원인으로 오는 증상인지 우리가 구분하기는 어렵다. 반드시 전문의를 가족과 함께 찾아가 환자가 느끼는 것과 가족이 이상하게 느낀 점을 자세히 설명해 주면, 진단에 도움이 된다고 한다. 치매의 원인이 되는 질환은 100가지가 넘는다고도 한다. 이 중에서 알츠하이머, 혈관성치매, 루이체 치매가 3대 큰 원인 질환으로 꼽힌다.

.운동은 강하게 해야만 좋을까?

바른 자세로 앉는 것만으로도 뇌로 가는 혈류량이 즉시 증가한다고 했다. 주당 4~5회 정도 30~50분 걷기만으로도 뇌 혈류량이 15% 향상된다. 이처럼 강하지 않은 운동도 뇌로 가는 혈류량을 증가시켜 뇌를 활성화한다. 고강도나 중강도 운동이 힘들면 저강도의 꾸준한 운동을 전문가들도 추천한다.

.기억력이 떨어지면 모두 치매인가요?

기억력 저하는 나이가 들면 생기는 정상적인 건망증이다. 그 외 스트레스나 심한 걱정거리로 인한 집중력저하나 노년기 발생하는 우울증이 기억력 저하의 원인이 될 수 있지만 기억력이 떨어진다고 해서 모두 치매는 아니다. 일시적인 건망증일 수도 있는 것이다.

.치매는 유전인가요?

건강보험 심사 평가원에 따르면 유전적 요인은 치매 발생위험은 증가시킬 수 있지만, 이러한 요인은 일반적으로 다른 요인보다 덜 중요하다고 했다. 이렇듯이 아직 명확한 발병원인은 밝혀지지 않았다. 그러나 아래의 연구들은 알츠하이머 치매는 가족이 진단받으면 상대적으로 걸릴 확률이 없는 쪽보다는 높은 편으로 나온다.

분당 서울대 김기웅 교수 연구팀은 한국과 독일, 이탈리아 등 8개 국가에서 노인 17,194명을 대상으로 치매 진단 및 가족력을 조사하였다. 조사 결과 부모 중 한 분이 진단받으면 알츠하이머 치매 발병률이

47% 증가하는 것으로 확인되었다. 그중에서도 알츠하이머 발병 위험은 72% 증가한 것으로 나타났다.

흥미로운 점은 아버지가 치매를 앓은 경우 치매 발병 위험이 유의미하게 증가하지 않았지만, 어머니가 치매 병력이 있으면 위험도가 51%(1.5배) 높아졌고, 알츠하이머병의 발병 위험도는 80%(1.8배) 높아졌다. 이유는 어머니 쪽에서만 유전되는 X 성염색체나 미토콘드리아 DNA 등이 알츠하이머 발병에 큰 영향을 미칠 수 있다고 연구팀은 설명했다.

또 이 연구에서 어머니가 치매였을 경우 그의 아들은 치매가 없는 어머니 아들에 비해 약 2배 딸은 약 1.7배 정도 치매가 발생할 위험이 증가한다고 발표했다.

이전에는 알츠하이머병 위험을 높일 수 있는 유전형질로 잘 알려진 것은 아포지단백 ε4 대립유전자였으나, 이번 김기웅 교수팀 연구에서 X 성염색체나 미토콘드리아와 같은 모계 유전형질도 알츠하이머 발생에 큰 영향을 끼칠 수 있다는 점이다. 어머니가 치매를 앓으셨거나 아포지단백 ε4를 가진 사람은 치매를 유발하는 환경적 요인인 금연, 금주, 포화지방 과식 등 기타 위험 요인에 특별히 조심하는 생활 습관을 지녀야 할 것이다.

초기 알츠하이머 치매는 감별이 쉽지 않은데 PET(양전자 단층 촬영)를 찍어보면 알 수 있다. PET를 찍어보면 정상 노화로 인해 뇌 용량의 감소 상태인지, 또는 치매 상태 인지를 감별하는 데 유용한 촬영법이다. 이렇게 치매는 과학의 발달과 함께 여러 검사를 통해서 진단과 치료가 점진적으로 발전하고 있다. 치매가 의심스럽거나 걱정이 되면 서둘러 병원을 가보자.

알면 이해가 쉬운 치매와 관련된 두뇌

우리 뇌의 무게는 우리 몸의 2%를 차지하지만(몸무게 70kg일 때 뇌 무게는 보통 1.4kg), 전체 혈액 공급량의 20% 정도가 있어야 하는 핵심 중요 기관이다. 신체적, 정신적 모든 활동을 관장하는 복잡하고 유일한 기관인 것이다. 이렇게 복잡한 뇌를 전문가가 아니면 우리는 다 알 수가 없다. 그러나 치매와 관련된 대뇌의 4엽 역할만 조금 이해하고 있어도 치매 환자를 돌볼 때와 예방 활동에 도움이 될 것이다.

.대뇌의 위치와 구조

대뇌는 우리가 머리를 손으로 누르면 딱딱하게 만져지는 머리뼈의 안쪽에 위치하고 구조는 좌우 2개의 반구로 되어있다. 이 두 개의 반구(좌뇌와 우뇌)는 뇌들보(뇌량)에 의해 서로 연결되어 있다. 우리가 대뇌 그림을 보면 쭈글쭈글한 주름으로 되어있는 것을 보았을 것이다. 이것은 표면적을 늘리기 위해서 주름으로 되어있는 것이다. 주름이 튀어나온 부분을 이랑이라고 하고 주름져 안으로 들어간 부분을 고랑이라고 하는데, 고랑과 이랑의 모양에 따라 전두엽(이마엽), 측두엽(관자엽), 두정엽(마루엽), 후두엽(뒤통수엽)으로 나눌 수 있다.

- 전두엽(이마엽)

대뇌의 가장 앞쪽인 두뇌의 앞부분과 정수리에 이르는 부위에 위치, 대뇌 중 가장 큰 엽을 차지한다. 운동, 감정, 기억력, 사고력, 추리, 계획, 실행, 문제해결 등 고등 정신작용을 관장하는 핵심 부위이다. 전두엽은 우리 뇌 중에서도 노화에 가장 취약한 부분이다. 전두엽의 노화는 인지기능 감퇴를 일으키는 중요한 요인이 된다.

그래서 나이가 들어도 전두엽의 기능이 좋다는 것은 곧 인지 기능이 좋다는 것을 의미한다. 또, 전두엽은 다른 연합영역으로부터 들어오는 정보를 조정하고 행동을 조절하는 기능도 한다. 대상자에게는 전두엽의 중요성을 강조하기 위해서 '우리 몸의 최고사령관' 혹은 '우리 몸의 CEO(최고경영자)'라고 말하기도 한다.

전두엽 중에서도 더 앞부분에 위치한 전전두엽 부위는 자신을 인식하고 행동을 계획하며 불필요한 행동을 억제하면서 문제해결을 위한 전략을 수립하고 의사결정 등을 하는 중요 기능 부위이다. 더불어 목표 지향적 행동에 관여하고 정보에 의해 논리적 판단을 할 수 있게 한다. 여기가 망가지면 감정적인 정보에 의해 판단하는 역할을 하고, 도

덕적 문제에 관해서 판단이 흐려지기도 한다. 또한 사회적으로 적절한 행동을 수행하기가 어려워진다. 즉, 전전두엽 부위는 인간을 다른 동물과 가장 분명하게 구분해 주는 부위이다.

우리가 희망을 품는 것, 아름다운 미래를 꿈꾸고 계획하고, 사랑하고, 미워하며 정서적 고통을 겪게 되는데, 그것은 우리가 사고하고 느끼며 행동하고 있음을 인식하게 해주는 이런 전전두엽 부위가 있기 때문이다. 그래서 전두엽이 망가지면 우리가 걱정하는 미운 치매에 걸린다는 것이다. 이 말도 교육 대상자에게 많이 사용하는 말이다.

- 측두엽(관자엽)
대뇌의 좌우 측면에 위치하며 전두엽 다음으로 넓은 면적을 차지한다. 기억저장 및 청각과 언어에 관련된 정보처리를 담당한다. 측두엽 좌측에는 베로니카 영역이 언어기능을 담당하며 여기가 망가지면 '베로니카 실어증'으로 정상인같이 유창하게 말하고 있는 것 같지만 의미 없는 내용을 말하며 다른 사람의 말을 이해하는 데 큰 어려움이 있다.

- 두정엽(마루엽)
대뇌의 윗부분에 위치하며 감각영역이 자리 잡고 있어 감각 신호를 해석한다. 사물의 크기나 피부 접촉, 상하좌우 위치 관계, 거리감, 공간 감각, 미각을 이곳에서 인식한다. 두정엽이 손상되면 감각이 없어지고 동작과 행동에도 영향을 미치며 공간인식이 곤란해진다. 잘 다니던 길을 찾지 못하는 것도 두정엽의 문제에서 나타나는 증상이다.

〈아인슈타인(1879~1955)과 두정엽 이야기〉

학지사의 내용을 보면 아인슈타인이 사망 후 뇌의 무게는 1.22kg으로 일반인(보통 1.4kg)보다 가벼웠다. 하지만 뉴런 당 뇌세포의 수가 일반인보다 73%나 많았고 두정엽의 크기는 일반인보다 15%나 컸다는 것이었다.

- 후두엽(뒤통수엽)

대뇌의 가장 뒷면에 위치하며 눈으로 들어온 시각 기능에 관여한다. 색깔, 밝기, 모양, 움직임 등의 외부에서 들어온 시각 정보를 처리하는 것이다. 4엽 중 부위가 가장 좁다. 인간은 오감 중 87% 정도를 시각으로 인식한다. 후두엽은 일차적으로 들어온 수많은 정보를 처리하여 다른 부위로 전달한다.

5장.

백 년 두뇌를 위한 뇌 활성화 법

뇌 건강과 기억력을 지키는 여러 가지 의견과 방법이 나와 있고 아직도 연구 중 상태이지만 내가 현재까지 뇌에 관한 공부를 한 정보로 보아서는 3가지로 말하고 싶다. 생활습관, 인지비축력, 기저질환 관리이다. 즉, 치매를 멀리하는 생활과, 뇌를 훈련하는 머리를 쓰는 활동, 운동 등을 해야 한다. 또, 가지고 있는 질환들을 잘 관리하는 것이다. 가장 중요한 것은 작은 것부터라도 지금부터 꾸준히 하는 것이다. 실행이 답이다.

습관의 중요성을 말하는 습관과 관련된 명언을 소개하고 싶다.

"습관은 처음에는 눈에 보이지 않는 실과 같다.

그러나 행동을 되풀이할 때마다 두터워져 우리의 사고와 행동을 묶어 버린다." (오리슨 스웨트 마든)

백세형통 뇌 자극법

.소리 내는 습관이 중요하다.

앞의 부분 '뇌의 노화를 멀리하는 생활습관'에서도 이야기했듯이 실제로 치매 환자들이 소리 내는 습관으로 인지기능 저하가 호전되었고, 책을 소리 내 읽었을 때 같은 효과가 나타났다는 조사 결과가 있다. 뇌는 한 번에 많은 영역을 사용하면 사용할수록 뇌 속의 혈류가 증가하여 뇌가 더 많이 활성화된다. 소리를 내 책을 읽게 되면 첫 번째 글을 눈으로 보고 읽으면 시각 부분을 자극하고, 두 번째 읽으면서 이해하는 것으로 뇌의 전두엽을 활용하고, 세 번째 소리를 내는 동안 소리 내는 뇌 부분을 자극하고, 네 번째 읽으면서 자신의 목소리를 듣는 청각 담당 부위까지 사용하게 된다. 일석사조의 효과가 있는 것이다. 여기서 일어서거나 몸을 움직이면서 읽게 되면 전신을 자극하게 되면서 더 큰 효과를 볼 수 있다. 짧은 글이라도 서서 혹은 움직이면서 소리를 내어 읽어보자.

소리를 내 읽을 때 뇌 속에서 스트레스 경감 호르몬인 세로토닌이 분비된다고 한다. 또한 소리를 내 읽으면 내용이 기억에 잘 남게 된다. 한번 경험해 보기 바란다. 나의 경험 이야기를 해보면 우리가 일상에서 휴대전화로 전송되는 인증 번호 6자를 눈으로 읽고 다시 정해진 시간에 입력하려고 하면 중년기 이후의 나는 실패할 때가 있다. 그러나 입으로 몇 번 소리 내어 반복한 뒤에 하게 되면 성공한다. 휴대전화 인증 번호를 입력할 때마다 소리 내 말하면 기억이 더 잘 된다는 것을 할 때마다 느낀다.

대상자와 치매 예방 활동을 할 때도 대상자와 말을 주고받으며 계속 소통하며 진행하면 집중력을 끌어올리는 것은 물론 지루함도 느끼지 못하게 하는 효과가 있다. "벌써 한 시간이 됐어?"라고 말씀하신다. 그래서 소리를 내게 하는 것이 아주 중요한 치매 예방 활동이라는 것을 강조한다. 신체적인 조건이 여의찮아 집에만 계셔야 하는 대상자들에게는 TV에서 나오는 소리라도 따라하게 하고, 노래가 나오면 큰 소리를 내면서 같이 부르라고 하면 좋다.

.생각하는 독서법을 실천하자

중년기 이후는 책을 읽고 나면 무엇을 읽었는지 아무 기억이 없을 때가 있다. 이런 방법으로 읽어보자. 책을 읽고 난 후 느낀 점을 쓰던지, 읽으면서 중요하다고 생각해서 밑줄 친 부분을 적어보자. 또 다른 사람에게 소감을 이야기해 주겠다고 생각하며 읽을 때 뇌는 더 많은 자극을 받는다. 정보를 입력할 때는 기억을 담당하는 해마 부위가, 출력할 때는 전전두엽이 활성화된다. 즉, 정보의 양을 늘리기보다도 머릿속에 들어온 정보를 다른 사람에게 말해주거나 글로 적을 때 뇌는 더 활성화된다.

.일기를 쓰자.

뇌 활동을 촉진하는 일기 쓰기를 치매 예방법으로 많이 권장하고 있다. 일기 쓰기는 정보를 효율적으로 처리하고 기억을 정리하는 습관을 지니게 되고, 일상생활에 일어났던 일과 그때의 감정이 더해지게 된다. 이렇게 감정이 추가된 경험은 훨씬 잘 기억해 낼 수 있다. 뇌의 감정이 관여된 기억은 뇌 속의 편도핵이라는 부위가 자극되어 그 경험이 더 잘 기억되는 것이다.

우리가 아주 놀랐거나 슬펐던 일, 아주 즐거웠던 일은 시간이 오래 지나도 기억을 잘하는 것은 그 당시 감정이 관여된 기억이기 때문이다. 실험에서 한 번은 중립적인 사진을 보여주고 또 한 번은 감정적인 장면의 사진을 보여주었다. 20분 후에 자세히 설명하도록 했다. 결과는 감정적인 내용이 담긴 사진을 더 잘 기억할 수 있었다.

이렇게 그날 일어났던 일을 생각하며 일기를 쓰면 우리 뇌는 새로운 정보를 습득하고 기억력을 향상함은 물론 사고와 문제해결 능력을 키우는 데 도움을 준다. 이는 인지기능 저하를 막는 것이다. 또 일기 쓰기는 많은 치매 치료 요법 중 하나인 '회상요법'과 비슷해서 정서적 안정은 물론 기억을 정리하고 행동을 변화시키는 데 좋은 역할을 한다.

.사용하지 않던 손을 많이 써보자

손을 사용하는 것은 뇌의 많은 부분을 자극할 수 있다고 했다. 늘 사용하던 손만 쓰게 되면 습관으로 굳어져 뇌에 가는 자극이 약해진다. 뇌는 새로운 일을 도전하면 더 많은 활성화가 된다고 했다. 의식적으로 익숙한 손이 아닌 사용하지 않던 다른 손을 사용하면 익숙할 때까지는 뇌가 불편함을 느끼기 때문에 우리가 힘들다고 생각한다. 이때가 바로 뇌의 움직임을 자극하는 때이다. 이런 새로운 활동을 할 때마다 뇌에는 신선한 자극이 되는 것이다.

그러나 오른손을 늘 사용하던 사람이 왼손을 사용하기는 쉽지 않다. 처음에는 난이도가 낮은 것부터 시도한다. 신발을 집을 때, 컵을 들 때, 문을 열 때, TV 리모컨을 사용할 때, 계산기를 두드릴 때 등으로 시작하여 차츰 난이도를 높여 양치질하기, 숟가락질하기 등으로 옮겨 가게 한다. 오른손잡이는 좌뇌, 왼손잡이는 우뇌가 발달 되었다고 하는 설이 있다. 발달하지 않는 뇌 쪽을 강화하기 위해 새로운 도전을 권한다. 매일 도전할 때마다 뇌가 활성화되어 활기찬 일상으로 연결이 된다. 왼손잡이는 양손을 다 사용하면 될 것이다.

.다른 방법으로 글씨를 써보자

보통 엄지, 검지, 중지를 가지고 글을 쓰지만 엄지와 검지로만, 엄지와 중지로만, 엄지와 약지만으로 글씨 쓰기를 오른손과 왼손으로 적어본다. 그다음은 양손에 펜을 잡고 글을 적어본다. 숫자도 마찬가지다. 종이 한가운데부터 양손 바깥 방향으로 1~10까지 적어

본다. 그 다음에는 난이도를 높여 양손 모두 바르게 위에서 아래로 숫자를 써 본다. (오른쪽과 같게 쓴다.) 평소 사용하지 않던 손은 힘이 잘 들어가지 않으므로 힘을 의식적으로 주면서 눌러서 써 본다. 칸이 있는 공책이면 칸 밖으로 나오지 않게 하면 집중력이 더 높아지게 된다. 이렇게 평소 하지 않던 방법을 사용하게 되면 우리 뇌는 호기심이 생기면서 뇌 활성화를 촉진한다.

.꾸준한 인지활동으로 뇌를 자극하자

미국 러쉬대 메디컬의료센터의 연구진이 치매에 걸리지 않은 평균 80세의 노인 1,978명을 약 7년간 추적하며 매년 인지검사를 해 보니 인지 활동을 자주 한 그룹이 5년 늦게 치매 진단을 받더라는 것이다. 젊은 시절과 중년기의 인지 활동과 교육 수준은 치매 발병 연령과 관련이 없다고 설명했고 "노년기에 인지 활동을 하는 것이 중요하다."며 "80대라도 인지 활동을 시작하는 것이 치매 발병을 늦출 수 있다"고 말했다. 인지적으로 많은 자극적인 활동을 하는 사람들이 치매에 걸리는 나이를 늦출 수 있다는 결과이고 인지 강화 활동은 언제 시작해도 늦지 않다는 것이다.

.한 손이 이기는 묵, 찌, 빠

좌·우뇌를 활성화하는 왕성한 뇌 활동이다. 먼저 왼손이 이기는 활동을 많이 하고 다음은 오른손이 이기는 활동을 한다. 익숙해질 때까지 한다. 무슨 활동이든지 익숙해지면 다른 것을 해야 한다. 우리 뇌는 익숙한 것에는 자극이 약한 것이다. 뇌는 새로운 것을 배

우고 경험할 때 끊임없이 신경 경로를 만들고 재조정한다는 것이다. 정신과 의사 카바사와 시온은

"신경세포가 가지를 뻗쳐서 다른 신경세포와 네트워크를 구축한다는 '뇌 네트워크 구축'은 평생에 걸쳐 이뤄지고 이 네트워크 구축은 뇌 훈련을 통해 얼마든지 가능하다."라고 했다.

.뇌로빅을 하자

뇌로빅은 뇌+에어로빅이라는 뜻으로 해석한다. 생활 습관을 평상시와는 다르게 바꿔서 뇌 자극 운동을 하자는 것이다. 우리 뇌의 가장 넓은 면적을 차지하는 것은 전두엽이라고 했다. 전두엽에는 운동 관련 신경이 많이 연결되어 있다. 뇌 운동 신경의 30~40%가 손 움직임에 반응해 활성화한다. 평소 사용하지 않던 손을 움직이는 것만으로도 치매에 취약한 전두엽의 많은 부분을 활성화한다.

그래서 치매 예방 활동에서 제일 많이 하고 빠질 수 없는 것이 양손을 다르게 하여 좌뇌 우뇌를 활성화하는 손 운동인 것이다. 뇌로빅 동작을 하면서 MRI를 촬영해 보면 움직임이 활발해진 뇌파를 확연히 알 수 있다. 반복적인 뇌로빅 운동은 기억력, 언어기능 향상 그리고 뇌로 가는 혈류량을 증가시킨다.

*뇌로빅 동작을 배워보자.

1. 먼저 양손 주먹을 쥔 상태에서 접은 손가락이 나를 보게 한다. 한 손은 엄지를 펴고 다른 손은 소지를 편다. 양손은 같은 방향으

로 향하게 한다. '바꿔'라는 구령에 맞추어 반대쪽으로 엄지와 소지의 방향을 바꾸며 천천히 반복하다가 대상자가 익숙해지면 속도로 난이도를 올린다. 평소 사용하지 않던 동작을 하므로 양쪽 뇌가 동시에 활성화된다. 마지막에는 동요를 부르면서도 해본다. 노래에 맞추어 할 때 뇌는 더 집중하게 된다. 다음에는 주먹 쥔 손가락이 아래를 보게 하여 같은 방법으로 한다. 느낌이 또 다를 것이다.

2. 한 손은 주먹 다른 한 손은 보자기 내기를 하면서 위의 방법과 같이 해보자. 쉬운 것은 인지 저하 대상자들과 하면 좋다. 그다음 주먹을 낸 손은 엄지만 펴고, 보자기를 낸 손은 엄지만 접고 구령을 하며 좌,우 손모양이 다르게 바꾸기를 한다. 이것도 익숙해지면 손을 바꾸는 중간에 박수치기를 하며 난이도를 올린다.

3. 한 손의 검지와 가운뎃손가락을 세워 V자를 만들고, 다른 손의 손가락은 엄지와 검지를 펴서 L자 모양을 만들어서 바꿔 보기를 해본다. 무슨 모양이든지 간에 양손이 다르게 하면 된다.

4. 한 손은 배를 둥글게 돌리고 한 손은 머리를 위에서 아래로 내리친다. 손을 바꾸어서 해본다.

5. 한 손은 주먹을 쥐고 가슴을 두드리고 다른 한 손은 배를 위에서 아래로 쓸어내렸다가 쓸어 올리기로 한다. 손을 바꾸어서 해본다. 처음에는 어렵지만 잠깐만 노력하면 된다.

6. 엄지손가락에 고무줄을 걸고 차례대로 다음 손가락으로 이동시켜 보자. 소지까지 갔다가 돌아서 엄지까지 다시 오게 한다. 조금 익숙해지면 양손에 고무줄을 걸고 양손을 같이 해보자. 집중력이 높아지고 뇌에 강한 자극을 주게 된다. 무엇이든지 연습을 반복하여 아무 생각 없이도 잘하게 되면 다른 것을 연습해야 한다. 익숙한 것에는 뇌 활성화가 미약해진다고 강조했다.

그 외 뇌로빅으로는 음식 냄새 맡아보기, 눈 감고 식사하기, 눈빛으로 대화하기, 평소 안 쓰는 손으로 빗질하기나 양치질, 식사하기, 눈을 감고 사물을 만지며 상상하기, 뒤로 걷기(보호자와 함께) 등 평상시와 다르게 뇌를 자극하는 것들이 있다.

.한 번에 30번을 꼭 씹자

껌을 짬짬이 잠깐씩 씹는 것도 치매 예방 활동이다. 씹는 활동이 기억을 담당하는 해마를 활성화한다는 보고가 있다. 고령자들에게 껌을 2분간 씹게 한 그룹과 그렇지 않은 그룹을 비교했을 때 씹은 그룹이 정확도가 크게 올랐다고 한다. 치아 뿌리에 있는 치근막이 자극되어 뇌를 활성화한다는 것이다. 평소 너무 부드러운 음식보다는 약간 단단한 음식을 선호하여 30번씩 씹는 활동을 생활화하면 뇌도 활성화되고 음식을 먹고 포만감을 느끼게 하는 신경 기관인 만복 중추를 자극하여 과식도 예방한다. 또 침이 많이 나와 소화를 돕고 충치도 예방할 수 있다. 이렇게 30번씩 음식을 씹으면 뇌는 물론 건강에도 좋다.

.여행은 백 년 두뇌를 만드는 특효약이다

새로운 장소를 가보는 것과 그곳의 특색 있는 음식을 먹는 것, 사진을 찍는 것 등이 뇌를 자극하는 활동이다. 처음 가보는 곳에 가게 되면 우뇌가 크게 활성화된다. 여행은 평소와 다른 새로운 자극을 받기 때문에 뇌 활성화에 특별한 효과가 있다. 즉, '뇌 활동에 최고인 것은 새로운 자극'이다. 그래서 대상자에게 교육할 때는 '새로운 것을 하자'라고, 반복해서 외치게 한다. 강조하기 위해서다.

.물을 많이 마시자

우리 뇌는 탈수에 약하다. 성인의 경우 보통은 뇌의 60~70%가 물로 채워져 있다고 한다. 물이 부족할 때 기억력과 집중력, 사고력이 저하되며 멍해진다. 충분한 수분 섭취는 인지기능을 보호하고 뇌 성능을 최적화한다. 반대로 뇌의 수분이 부족할 때는 뇌세포들은 영양공급과 산소 공급이 충분하지 않아 제대로 작동하지 못할 수 있다. 나이가 들면 수분부족을 덜 느끼게 된다. 물은 소변, 발한, 땀 등을 통해 체내에서 배출되기 때문에 꾸준한 수분 보충이 필요하다. 아침부터 하루에 마실 물을 물병에 담아 정해놓고 다 먹는 습관을 들이자.

.심호흡을 자주 하자

심호흡은 우리가 생각하는 것보다 더 큰 효과가 있다. 살기 위해 쉬는 호흡의 효과 외에도 제대로 하는 심호흡은 행복과 건강을 유지하는 데 도움을 준다. 스트레스를 감소해서 심신을 안정시키고,

혈액순환 개선, 면역력 강화, 집중력향상, 수면의 질을 좋게 한다. 우리 두뇌는 몸에서 산소를 가장 많이 필요로 하는 곳이다. 몸속 산소의 20% 이상을 차지하고 있다. 한 번에 5~6초씩 두세 번 정도 깊게 숨을 들이쉬고 내쉬고 하는 것만으로도 뇌에 도움을 준다. 노래 부르기는 자연스럽게 호흡을 촉진하는 활동이므로 즐겨하면 좋다. 크게 힘들이지 않고 뇌를 건강하게 하는 방법이다.

.뇌 휴일을 만들자

날마다 똑같은 일정으로 살아가다가 휴일이 되면 충분한 수면이나 운동을 하는 등 새로운 도전이나 하고 싶은 취미생활을 하는 것은 뇌에 새로운 자극도 주고 살아가는데 활력도 불어넣는다. 평소에 하지 못했던 일을 연장해서 하게 되면 뇌가 쉴 수 없는 상황이 되어 뇌의 순환은 원활하지 못하여 피로와 스트레스는 줄어들지 않는다.

뇌 신경세포에는 뇌동맥에서 이어진 모세혈관에 의해 산소와 포도당 등 뇌가 필요한 영양물질들이 공급된다. 그런데 뇌가 피곤한 상태가 되면 이런 작용이 원활하지 못하다. 휴일 저녁까지 하던 일들이 마무리가 안 될 때 뇌는 활성화 되지 못한다. 휴일의 뇌를 만들어 작은 성취감을 맛보는 것은 살아가는 보람이 되고 뇌를 건강하게 만드는 것이다.

.칭찬은 스스로!

'칭찬은 코끼리도 춤춘다고 했다.' 칭찬은 받는 사람을 기분 좋게 하지만 하는 사람도 자기의 뇌를 춤추게 한다. 타인을 칭찬하려면 상대를 잘 관찰하여야 한다. 이럴 때 뇌 전체를 회전시켜야 한다. 이런 행위가 뇌를 젊게 만든다. 생활 속 치매 예방 활동으로 '칭찬을 자주 하자'라고 알려드린다. 뇌에 긍정적인 효과가 있기 때문이다.

중요한 것은 남이 나를 칭찬하지 않아도 내가 나를 스스로 칭찬해 주어야 한다. 쉬운 일은 아니지만 스스로 잘 칭찬할 줄 아는 사람이 관찰하는 능력이 뛰어나다는 것이다. 사람은 나이가 들면 욕구가 점점 줄어든다. 칭찬과 욕구는 무관하지 않은 것이다. 칭찬 노트를 만들어 나에게 스스로 칭찬을 하자. 식당에서 물만 셀프로 가져올 것이 아니다. 칭찬도 셀프로! 뇌가 똑똑해진다.

.감동을 자주 하자
나이가 들면 감정이 예전 같지 않다. 특히 퇴행성 뇌 질환 환자에게서 매우 흔하게 동반되는 무감동 증상이 있다. 무감동은 동기부여가 약하여 무엇인가를 하고자 하는 마음이나 대상에 대한 관심이 없어지는 것을 말한다. 한 달 만에 요양원에 면회 온 남편이 '각시야' 해도 소 닭 보듯 먼 허공만 바라보시는 분도 있다. 이렇게 되면 행동이나 감정의 변화가 적어지고 인지능력도 더 떨어지게 되는 것이다. 무감동 증상은 치매의 초기나 경도인지장애 환자에게서도 관찰된다고 한다. 게을러지거나 무기력해지는 상황이 보일 때는 신체적으로 쇠약해지는 것이 아니라 무감동이나 인지기능 저하와 연관된 것인지 살펴보아야 한다.

우리가 경이로운 풍경의 자연을 보거나 환상적인 사랑에 빠졌을 때 격하게 감동한다. 이때 우리 몸에서 다이돌핀 세포를 방출한다. 다이돌핀 세포의 위력은 굉장하다. 엔도르핀(뇌에서 생성되는 천연 강력 진통제)의 4,000배 효과가 있는 기적의 호르몬이 나온다고 한다. 뇌 건강을 위해서 작은 것에도 감동을 자주 하자.

.음식은 즐겁게 먹자

호주 모나쉬 대학교와 대만 국방 의료센터 공동연구에 의하면 고령기에 식욕이 왕성하여 잘 먹는 사람일수록 장수하는 경향이 있다는 연구가 장안의 화재였다. 이 연구팀은 1999년부터 9년 동안 대만에 사는 65세 이상 고령자 1,856명을 추적 조사한 결과 식욕이 낮은 그룹은 높은 그룹에 비해 사망률이 2배 이상 높다는 연구 결과였다. 노년기에 건강한 식단도 중요하지만, 식욕을 어떻게 유지하느냐도 중요하다. 건강한 음식을 맛있고 즐겁게 먹도록 하자. 뇌 건강이 좋아진다.

.뇌가 춤추는 감사하는 생활을 하자

국내 대학병원 연구팀의 연구에서 감사하는 마음을 가지면 우리 뇌가 변하고 삶도 달라질 수 있다는 사실이 의학적으로 증명되었다는 보도를 했다. 5분 동안 어머니에 대한 고마움을 떠올리게 하는 메시지를 들려주니 심장 박동이 안정적인 파형으로 변하고 표정은 편안해졌다. 반대로 자책하고 원망하라는 메시지를 들려줬더니 서서히 표정이 굳어졌다는 연구 발표였다.

감사하는 마음을 가질 때 표정만 변하는 것이 아니라 뇌 속에 있는 측좌핵 등 뇌 여러 부위에 걸쳐있는 '보상회로'가 즐거움을 관장하는데 MRI 영상으로 '보상회로'가 즐거움을 더 잘 느끼게 된다는 것이 확인되었다고 한다. 보상회로가 즐거움을 느낄 때 뇌에서는 자연 마약인 엔도르핀이 방출된다고 한다. 누군가를 탓하고 원망하기보다는 늘 감사하는 마음을 가지려고 애쓰면 우리 뇌가 변하고 삶도 달라진다는 연구이다. 감사는 기적을 낳는다는 말도 있지 않던가.

백세형통 뇌 운동법

치매의 치료에는 약물치료와 비(非)약물적 치료법이 있다. 얼마 전까지는 약물치료가 주를 이루었지만, 비(非)약물 치료 방법이 환자와 가족들에게 좋다는 연구들이 있고 그런 인식들이 확산하고 있다. 미술치료요법, 음악치료요법, 원예심리치료요법, 운동치료요법, 작업치료요법, 문학치료요법 등 많은 비약물적 치료요법이 있어 실제 치매안심센터 등 인지 향상과 인지 저하 예방을 위한 교육프로그램으로 기관에서 많이 활용하고 있다.

운동은 몸을 움직이면서 뇌까지 집중시킬 수 있는 코그니사이즈 운동이 좋다. 코그니사이즈는 노인들이 운동을 하면서 근육을 단련하고 동시에 치매를 예방하기 위해 두뇌를 사용하도록 고안된 운동법을 말한다. 예를 들어보면 스쿼터를 하면서 뺄셈을 하거나 걸으면서 끝말잇기를 하는 등의 방식으로 하는 것이다.

*백세형통이 되는 운동의 종류를 알아보자.

.유산소 운동
걷기, 수영, 자전거 타기, 댄스 등

.근력강화운동
역기나 물병 들기, 탄력 밴드 운동, 팔굽혀펴기, 턱걸이, 윗몸 일으키기, 계단 오르기 등

.유연성 운동
여러 가지 스트레칭 동작, 요가 등

.균형 운동
한발 들고 서기, 뒤로 걷기, 옆으로 걷기, 발뒤꿈치로 걷기, 발끝으로 걷기, 앉았다 일어서기 등

운동은 뇌로 가는 혈류의 양을 증가시켜 뇌에 산소와 영양분을 공급하는 데 도움이 된다. 이를 통해 뇌의 기능을 개선하고 신경세포들의 활동을 촉진한다. 또, 행복 호르몬을 방출하고 스트레스 호르몬인 코르티솔의 분비를 감소시켜 운동 후 행복감과 자신감을 가지게 한다.

* 비(非)약물적 운동 요법을 알아보자

.스트레칭을 하자

스트레칭은 뇌 관리의 기본으로 뇌와 몸을 연결하는 신경을 자극하는 것이다. 평소 사용하지 않는 근육이나 몸을 뒤트는 것만으로도 뇌에 자극이 가해져 뇌 기능이 향상된다. 스트레칭을 할 때는 들이쉬고 내쉬는 호흡에 집중하면서 천천히 한다. 할 수 있는 가동범위만큼 최대한 하는 것이 좋다. 부상의 위험이 적으며 생활 습관으로 꾸준히 하면 뇌와 몸에 효과가 좋은 운동이다.

하나를 소개해 본다. 오른팔을 쭉 위로 뻗고 손바닥을 쫙 편다. 왼손은 뻗은 팔 겨드랑이를 누르면서 천천히 호흡한다. 이번에는 왼팔을 머리 뒤로 가져가 오른팔 팔꿈치를 잡는다. 턱을 살짝 앞으로 당겨주며 오른팔은 뒤로 밀고 왼팔은 앞으로 밀면서 서로 힘을 주며 지탱한다. 반대쪽도 한다.

.머리 두드리기

대상자를 상대로 강의할 때는 먼저 온몸 두드리기를 하고 들어가면 뇌를 활성화해서 시작하기 때문에 학습효과도 높아지는 활동이다. 두피의 신경과 혈관은 뇌의 신경과 혈관이 연결되어 있다. 머리를 두드리면 신경세포들과 혈관들이 이완되고 자극되어 뇌로 전달되면서 근육이 이완되고 혈액순환, 긴장성 두통도 완화 시킬 수 있으며 집중력향상에 도움을 준다.

두드리는 방법은 조탁법으로 새가 모이를 쪼듯이 가볍게 톡톡 두드린다. 보통 두드리라고 하면 머리 위만 두드리는 경우가 있는데 앞에서 나온 두뇌의 4엽(앞, 뒤, 양옆 쪽)과 귀 주변, 뒷머리 전체도 두드려주는 것이 중요하다. 몸이 약하거나 병이 있을 때 두드리면 몹시 아플 수 있다. 이 아픈 부위를 더 많이 두드려 주면 된다. 조탁법은 정해진 시간은 없고 시간 날 때 틈틈이 하는 것이 좋다. 머리를 두드리면서 자녀 전화번호도 외워보고 노래 부르기, 집 주소 등을 말하면서 하면 인지 강화에도 도움이 된다. 여기서 주의할 점은 너무 세게 두드리면 안 된다. 세게 두드리면 뇌를 자극하는 것이 아니라 충격을 주는 것이 된다.

.혀 운동

미국 출신이면서 캐나다의 신경외과 의사인 와일더 팬 필드가 규명한 지도가 유명하다. 인간의 대뇌피질을 중심으로 하는 감각신경과 운동신경이 각기 다른 신체 부위에 얼마만큼 연관되어 있는지를 크기로 대응시켜 나타낸 모형이다. 이를 '호문쿨루스(작은 사람이라는 뜻)'라고 한다. 이 호문쿨루스 모형의 운동영역을 보면 손과 입쪽이 차지하는 부분이 크다. 즉 손, 입과 혀, 턱을 많이 움직이는 것이 뇌세포를 많이 자극하는 것이다.

일본에서 혀 운동을 한 8,000명과 혀 운동을 하지 않은 4,000명을 대상으로 6개월간 추적관찰을 했다. 혀 운동을 한 그룹은 뇌 활성화가 되었고, 하지 않은 그룹은 뇌 위축이 진행되었다고 한다. 간단한 뇌 운동이지만 효과가 좋았다는 것이다. 이것을 연구한 과학자들은 인체 노화현상을 뇌 위축이 제일 큰 원인으로 보았다는 것이다. 뇌 위축의 증상으로 혀가 경직되고 표정이 굳어지는 것으로 나타난다고도 했다. 혀 운동은 혀도 풀어주고 입안 근육도 풀어주는 효과가 있다. 시간 날 때마다 하면 좋다.

혀 운동을 해보자.

1. 혀 쭉 아래로 빼기 : 혀를 턱 아래쪽 끝에 댄다는 느낌으로 입 밖으로 쭉 내밀고, 이때 안쪽 혀뿌리가 빠진다는 정도로 내밀었다가 들어갈 때는 최대한 안쪽으로 말아 넣는다.

2. 혀 쭉 위로 빼기 : 혀끝이 앞니 안쪽에 닿게 했다가(반으로 접어진다.) 혀를 입 밖으로 내밀어 혀끝을 코에 댄다는 느낌으로 쭉 뺀다.

3. 혀 돌리기 : 입을 다물고 혀로 오른쪽 왼쪽을 천천히 10번씩 돌린다. 뻐근한 느낌이 온다.
(혀 혈액순환과 뇌 자극, 전신 순환에도 도움을 준다. 하루에 3회 정도 한다)

4. 혀 메롱 운동 : 혀를 오른쪽 옆으로 입 밖으로 내밀고, 혀를 왼쪽으로 내밀고 마지막으로 혀를 앞으로 내밀어서 반으로 접듯이 말아 넣는다.

5. 혀 자극하기 : 혀끝을 잘근잘근 씹듯이 자극한다. 입안에서 혀를 오른쪽으로 보내놓고 잘근잘근 자극 주고, 왼쪽으로도 보내서 잘근잘근 자극한다.

* 윗니와 아랫니를 마주쳐서(위아래 어금니를 마주치는 느낌으로 한다) 소리가 나게 하여 치아를 건강하게 하고 뇌에도 자극을 주는 고치법도 해보자.

.경동맥 자극하기

심장에서 올라온 혈액이 목을 통해 2개의 경동맥(외경동맥, 내경동맥)을 통해 올라가서 뇌에 혈액 공급을 한다. 경동맥이 혈전으로 막히면 뇌혈관이 위험하므로 여기에 혈전이 쌓이지 않게 하는 것이 치매를 예방하는 중요한 방법의 하나이다.

우리는 뇌로 혈액이 공급되지 않으면 뇌세포가 빨리 죽게 되는 것이므로 경동맥이 건강해야 한다. 목을 45도 정도 뒤로 젖히고 양손으로 목 양쪽에 만져지는 두툼한 목빗근 근육을 잡고 마사지하면 된다. 목빗근 근육을 엄지와 검지로 잡고 위에서 아래로 조물조물 주물러 준다.

한번 잡은 곳을 5번 정도 주무르고 3~4번 끊어 밑으로 내려오면서 같은 방법으로 한다. 그다음 목빗근 근육 시작 지점을 검지, 중지, 약지로 지긋이 둥글게, 반대로도 눌러 준다. 당장 혈전이 없어지는 것이 아니라 목 근육을 이완해서 유연하게 하고 경동맥을 이완시켜 뇌로 가는 혈액 공급을 원활하게 한다. 마사지 후 약간의 후끈거림이 있을 수 있다. 경동맥 마사지를 할 때 유의 사항은 경동맥이 좁아져 있다면 어지럼증 등이 나타날 수도 있다. 이런 분은 경동맥 검사를 해보는 것이 좋다.

.유부혈을 자극하기

유부혈은 쇄골 바로 아래쪽의 살짝 들어간 부위인 첫 번째와 두 번째 갈비뼈 사이에 있다. 유부혈을 누르면 심장에서 나가는 첫 번째 혈관인 경동맥을 자극해, 경동맥이 좁아지는 것을 예방하는 것은 물론 두뇌와 시각계로의 혈액순환도 원활해진다. 치매 예방 뇌운동 활동으로 많이 하며 어르신들에게는 중풍 예방효과가 있다고 하면 적극적으로 하시는 분이 많다.

방법은 한 손의 엄지와 중지를 쫙 펴 튀어나온 쇄골에 얹은 후 아래로 살짝 미끄러져 약간 들어간 곳을 누른다. 허리를 펴고 앉거나 서서, 반대 손은 배꼽을 감싸고 한다. 양손을 바꾸며 번갈아 하면 된다.

한의학 등에서는 울화로 인해 답답함이 느껴져 이를 풀고 싶을 때도 유부혈 지압을 권장한다.

.귀운동

엄지와 검지로 귀를 잡고 위쪽에서부터 시작해서 귀 아래 귓불까지 4번에 걸쳐서 뒤로 쭉쭉 당기면서 내려온다. 그다음 아래에서 위로 4번에 걸쳐서 올라가면서 안으로 당기면서 올라온다. 청력과 단기기억, 추상적사고 능력향상에 좋다. 실버 대상자들과 많이 하는 활동 중 하나이다.

.무한대 그리기

무한대 그리기는 뇌량을 발달시키고, 집중력, 사고력, 이해력, 시야 확대, 좌뇌와 우뇌를 잘 연결해 창의력까지 향상된다. 인류 역사상 가장 좋은 뇌를 가졌다는 아인슈타인 뇌를 조사한 연구 결과에서 특별히 뇌량이 발달하여 있었다고 했다. 좌뇌와 우뇌를 연결하는 다리를 뇌량(腦梁)이라고 하는데 뇌량이 발달하면 좌뇌와 우뇌가 잘 연결되어 소통을 잘하는 좋은 뇌가 된다는 것이다.

무한대 그리기 방법은 서거나 앉아서 어깨에 힘을 뺀다. 한 손의 엄지손가락을 세우고 얼굴 앞쪽으로 팔을 뻗는다. 천천히 허공에 엄지손가락으로 무한대(숫자 8이 누워있는 모습)를 그린다. 머리를 아주 조금씩만 움직이면서 시선은 엄지손가락을 따라간다. (이것이 중요하다) 3회씩 좌·우 손을 바꾸어 가며 해준다. 손을 천천히 내리고 숨을 들이마시고 내쉬면서 마무리한다. 효과가 다양한 뇌 운동이기 때문에 많이 권장한다.

.스페이스 버튼(Space Button)을 자주 누르자

검지와 중지를 윗입술과 인중에 닿게 갖다 댄다. 다른 손은 손가

락을 펴서 등 뒤 꼬리뼈에 손끝이 아래로 가게 놓는다. 이 상태에서 30초간 심호흡을 하면서 눈을 아래에서 위로 움직이며 인중과 입술부분을 눌러준다. 손을 바꾸어서도 한다. 이 뇌 자극운동은 만사가 귀찮을 때 동기 유발을 촉진하고 집중력과 의사결정 능력을 향상 해준다.

.어스 버튼(아래 입술 밑) 누르기도 하자

서서나 앉아서나 누워서도 해도 되는 운동이다. 한 손의 검지와 중지를 모아 아래 입술 밑에 살짝 들어간 부분에 가볍게 갖다 댄다. 반대 손은 손가락이 아래로 향하게 배꼽위에 가볍게 올려 놓는다. 심호흡을 하면서 입술 아래를 손가락으로 눌러주며 눈동자만 아래에서 위로 움직이며 반복한다. 손을 바꾸어서도 한다. 입술 밑은 신체의 움직임이 한데 모이는 곳이다. 그래서 이곳을 눌려주면 편안해지면서 정신적인 스트레스를 줄여주고 반복하는 과정에서 사물에 집중할 수 있는 능력과 집중력을 향상 시킨다.

.접시돌리기

오른발을 앞으로 내밀고 오른손을 앞으로 적당히 펴서 손바닥이 위로 오게 든다. 손에 접시가 놓여있다고 상상한다. 왼손은 허리 뒤에 뒷짐을 한다. 오른팔을 안쪽으로 감아 허리 높이에서 원을 그리며 돌리고 머리 위로 크게 S자를 그리며 원래 위치로 돌아온다. 접시를 떨어뜨리지 않는 것이 중요하다. 10회 반복한다. 반대쪽도 10회 한다.

신체에 변화를 주어 뇌에 자극을 주고 좌·우뇌 균형을 맞추는 데 효과적이다. 단순한 동작 같지만, 치매가 있는 분들은 할 수가 없는 동작이다. 기억력향상은 물론 치매 예방과 전신의 관절을 유연하게 만들어준다. 춤추듯 리듬을 타기 때문에 뇌 속의 세로토닌을 증가시켜 주므로 우울증 예방에 도움도 준다.

.과학으로 입증된 박수 치기

박수는 매우 평범한 동작처럼 보이지만 건강을 유지하는 비법이 들어있다. 손에는 14개의 기맥과 손목에서 손가락 끝까지에는 345개의 경혈이 흐르고 있다. 그래서 기운을 조절하는 경락과 경혈을 자극하여 주면, 뇌와 함께 몸의 기를 돋우고 혈액순환을 좋게 한다. 또, 내장 기관을 자극함으로써 신체기능을 활성화해 갖가지 질병 예방과 치료에 도움이 된다. 손을 많이 움직이는 사람이 무병장수한다는 통계도 있다.

하나의 박수를 10~20초씩 지속해 쳐주고 해당 부위가 안 좋은 곳은 20~30초 연속해서 치는 것도 효과적이다. 스트레스를 받거나 불안, 초조할 때도 박수를 쳐주면 긴장해소에 도움이 된다. 부산 대동대 조영춘 교수 연구에 따르면 30초 동안 박수를 치면 10m 거리 왕복달리기를 하는 것과 맞먹는 운동 효과가 나타났다고 했다. 즉, 박수가 전신운동 효과가 있다는 것이다. 박수는 종류마다 뇌나 몸에 가는 효과가 다르다는 것을 알고 칠 수 있도록 대상자에게 알려주면 좋다.

박수를 칠 때는 소리를 내면서 좀 강하게 치게 한다. 숫자를 세면서 치거나 거꾸로 세면서 치기를 하면 뇌를 더 많이 자극할 수 있다. 거꾸로 세는 것은 익숙하지 않은 활동이기 때문에 뇌가 어리둥절하면서 집중을 더 많이 하게 되고 사용하지 않던 뇌세포를 깨워주므로 뇌 활성화에 좋은 치매 예방 활동이다.

박수마다 효과가 다른 여러 종류의 박수를 알아본다. 먼저 박수치기 전에 주먹을 몇 번 쥐고 펴고를 해서 손 스트레칭을 하고 시작하자. 박수는 시간 날 때마다 쳐주면 좋지만 그렇지 못할 경우는 하루 두 번 정도 30~50회 정도 쳐주자.

-합장 박수(혈액순환)
두 손바닥을 마주치는 손뼉 박수다. 전신 혈액순환, 손발 저림 완화에 효과가 있다.

-손바닥 박수(내장 기관 강화)
두 손을 마주 붙여 합장하고 손바닥만으로 박수를 친다. 손바닥만 부딪쳐서 박수를 치면 전반적으로 내장 기능을 강화하는 효과가 있다.

-먹보 박수(심폐기능, 혈액순환) :한 손은 주먹 다른 한 손은 보자기를 해서 손바닥 부분을 번갈아 가며 바꾸면서 치면 된다. 손바닥에는 심장과 폐장 그리고 심폐에 관련된 경락이 있다. 혈액순환에도 도움을 준다.

-손가락 박수 (심장과 기관지 쪽 질병 예방)

손바닥은 뗀 채로 양 손가락끼리만 친다. 코 부위가 안 좋은 사람도 자주 하면 좋다.

-주먹 박수(만성 두통, 어깨통증 예방)

양 주먹을 쥐고 손가락이 닿는 부분끼리 마주친다. 머리가 띵하거나 아플 때 치면 맑고 상쾌해진다. 어깨가 무직할 때나 아플 때도 좋다. 치다가 아프면 주먹 쥔 손가락을 서로 상하로 비벼주면 더 좋은 효과가 있다.

-손등 박수(허리 통증 감소)

한쪽 손바닥으로 반대 손 손등을 때리듯이 친다. 양손을 번갈아 가며 친다. 손등에도 혈관과 많은 신경, 근육들이 있다. 우리들은 보통 손바닥을 치는 박수를 많이 한다. 그러나 치매 예방은 잘 안 쓰는 신경과 근육을 꾸준히 자극하면 뇌세포의 소실을 막고 치매를 예방하는 좋은 방법이다. 그래서 손등 박수도 많이 쳐보자. 허리 강화와 척주교정에도 좋다. 손등끼리 부딪치게 쳐도 되지만 노인들은 손바닥으로 쳐야 부상을 방지한다. 허리를 많이 사용하는 사람은 꾸준히 쳐주면 좋다.

-손날 박수(다리, 신장 튼튼)

칼날 박수, 하초 박수라고도 한다. 양 손바닥을 위로 보게 해서 새끼손가락 옆 부분을 마주친다.

-손목 박수(생식기능 강화)

손목과 연결된 손바닥의 끝부분만 서로 댄 채로 마주친다. 방광을 자극하는 효과가 있어 생식기의 기능을 좋게 한다. 생리통이나 생리불순에 효과적이다.

-목뒤 박수(견비통, 다이어트 효과)

양손을 목뒤로 넘겨서 힘차게 치는 박수로 어깨 부위의 피로를 푸는 데 효과적이다. 어깨나 팔 부위에 살이 많은 사람에게는 다이어트 효과에도 좋다. 팔이 아픈 노인에게는 잘 권하지 않는 박수다.

-손끝 박수(치매 예방, 눈과 코 건강에 좋음)

뇌를 제일 많이 자극하는 박수다. 그래서 치매 예방 박수라고도 한다. 눈과 코를 자극하여 비염, 시력 강화, 기억력에 좋다. 양 손가락의 끝부분만 부딪쳐주면서 톡톡 친다. 공부하다가 집중이 안 될 때 쳐도 좋다. 50번 정도 쳐보자.

.명상으로 뇌의 수축을 막자

명상은 뇌를 변화시켜 마음을 새롭게 만들고, 육체와 정신을 다스린다고 한다. 우리는 뇌를 통해 스트레스 관리, 부정적인 감정, 잘못된 습관을 바꾸면 건강, 행복, 성공을 거머쥔다는 것을 많은 뇌 관련 책을 보면서 알게 된 사실이다. 모든 것은 마음먹기에 달렸다는 것은 그 마음을 만들어 내는 것이 뇌인 것이다. 이 마음을 조절하기 위해 명상을 하면 인생도 달라지고 치매로부터도 자유로워질 것이다.

미국 캘리포니아 주립대에 에일린 루더스 박사팀 연구에 따르면 명상을 한 사람이 안 한 사람보다 뇌가 더 크고 뇌 기능을 잘 발휘한다고 밝혔다. 명상을 오래 한 사람들은 대뇌와 기억을 담당하는 우측 해마와 감정조절을 담당하는 안와전두피질 크기가 일반인보다 더 크게 나타났다고 했다. 이뿐만 아니라 명상을 하면 뇌 속질인 백색질이 덜 위축되고 나이에 덜 영향을 받는 뇌가 된다고 하는 연구들이 있다.

명상을 3년 동안 한 그룹의 사람들이 안 한 그룹의 사람들보다 전두엽 두께가 덜 얇아졌다는 연구도 있다. 명상은 앉아서 하는 복식호흡, 집중 명상, 마음 챙김 등 정적인 명상도 좋고, 몸을 움직이며 하는 요가, 걷기 명상 같은 동적 명상도 좋다. 명상을 3일 동안 한 사람도 분명히 뇌의 변화가 있었다고 한다.

요즘 많이 회자하는 '멍때리기'도 뇌가 고요한 상태가 되는 '물아 (物我)일체'의 경지에 이르면 명상이라 할 수 있다. 명상의 제일 쉬운 단계가 심호흡이다. 뇌 건강을 위해 언제 어디서나 할 수 있는 심호흡이라도 자주 하자. 현금보다 황금보다 더 좋다는 지금 바로 시작하자.

.댄스를 배우자
댄스는 음악을 들으며 감성을 자극하고, 동작에 신경을 쓰면서 그 동작을 외워야 하므로 춤을 추면 기억 통합력과 학습력, 공간지각력 등이 향상된다. 신체 움직임, 균형감각 기능 향상, 스트레스 해소 등의 효과도 있다. 그래서 걷기나 스트레칭보다 춤이 치매 예방에 좋다는 연구도 있으며, 탱고의 경우 파킨슨병과 뇌졸중 등 뇌신경질환 개선에 효과적이라는 연구 결과가 국제 학술지에 실리기도 했다.

이렇게 많은 연구에서 댄스가 치매 예방과 치료에 효과가 있는 것으로 밝혀지고 있다. 특히 춤을 통해 사회적 상호작용을 자극하고, 뇌에서는 복잡한 정신적 연결이 일어나게 된다. 뇌의 여러 영역을 동시에 활성화하고 뇌 신경망 네트워크 연결을 강화하는 효과가 있기 때문이다. 이렇게 될 때 신체 건강은 물론 인지 자극을 동시에 하게 되어 뇌에 미치는 영향이 극대화되어 긍정적인 자극을 주게 된다.

백세형통 회춘 손 체조법

　손을 움직일 때 우리 뇌의 30~40%가 활성화 된다고 한다. 앞서 혀 운동에서 말했듯이 팬 필드 박사의 호문쿨루스 모형은 손과 입 쪽이 현저히 컸다고 했다. 이는 손이 제2의 뇌라는 말을 증명하는 것이다. 그러므로 손을 꾸준히 움직여 주면, 말초에 혈액순환이 좋아지기 때문에 인체의 해독작용과 노폐물 배출이 원활해지는 데에도 도움이 될 수 있다. 이러하기에 손은 뇌의 노화 속도를 늦추어 주는 항노화 도구인 셈이다.

　아래에 나오는 손 운동과 손 체조법은 양손을 각각 다르게 하는 운동이 많으므로 좌뇌와 우뇌를 많이 활성화해서 아인슈타인처럼 양뇌를 연결하는 다리인 뇌량을 튼튼히 할 수 있게 만든다. 결국 뇌량이 발달하면 좌뇌 우뇌의 정보를 잘 활용할 수 있게 되어 좋은 뇌를 만들어 가는 것이다.

손의 움직임이 다양할수록 다양한 뇌 부위를 골고루 자극할 수 있어 뇌 기능을 단련시킨다. 그래서 여기에서는 다양한 손 운동과 손 체조를 배워본다. 만약에 손의 사용이 적은 경우가 되면 손 근육의 퇴화는 물론 함께 손 신경도 약화되어 결국 뇌를 자극하는 부위가 적어지면 그만큼 뇌세포 기능이 저하될 것이다.

일본 뇌외과 전문의 사나다 쇼후이치 박사는 손 체조를 하면 운동령, 소뇌 등 뇌의 폭넓은 영역을 사용하기 때문에 각 영역의 혈류가 좋아지고, 새로운 혈전이 만들어지는 것도 막아주게 되고, 뇌경색을 예방하는 데에도 큰 도움이 된다고 했다. 손 체조는 뇌 속의 혈류를 높이는 대상작용을 촉진하는 것으로 알려져 저하된 뇌의 기능이 회복될 수도 있다는 것이다.

한도훈 신경과 전문의는 50대 주부를 대상으로 손가락 체조를 30분하고 나서 뇌 혈류량이 18%정도 증가하는 것을 확인할 수 있었다고 했다.

*손 체조를 몇 가지만이라도 하루에 한 번 이상 매일 지속해서 하는 것이 좋다. 취향에 맞는 음악을 틀어놓고, '하나, 둘'이나 '하' 등 소리를 내면서 하면 더 효과적이다. 날마다 다른 소리로 바꾸어 가며 해도 뇌에는 새로운 자극이 된다. 소리를 낼 때는 '아' 발음같이 토해내는 소리가 나는 발음으로 하면 더 좋다. '하' '파' '짱' '야' 등이 있을 것이다.

*8박자로 맞추거나 횟수로 해야 하는 것은 대상자의 인지 수준에 맞추어서 진행하고 속도로 난이도를 조절하여 실시한다.

*손동작과 걷기(앉아서도 걷기)를 같이 할 수 있는 동작은 같이하면 더 많은 뇌에 자극을 주게 된다. 뇌를 자극하는 다양한 손 체조와 손 운동법을 알아본다.

-손가락 주무르기
.한 손으로 다른 손 손가락 5개를 같이 잡아 가볍게 주물러주며 손등에서 손가락 쪽으로 '다섯'까지 세면서 내려온다. 반대 손도 한다. 한쪽에 5회씩 한다.
.양손을 하고 나서 이번에는 손가락 하나씩을 다른 손으로 가볍게 꼭꼭 주물러 준다. 반대 손도 한다. 한 손가락을 열 번 셀 때까지 한다.

-쩜쩜 하기
팔꿈치는 옆구리에 붙이고 손바닥은 하늘로 해서 눈을 감고 손바닥으로 기운을 느끼며 쩜쩜 하기를 300회 정도 한 후, 눈을 뜨고 손을 세게 비벼서 얼굴을 비벼준다. 손바닥 중심에 있는 노궁혈도 열고 몸에 흐르는 기운도 느낀다. 한의에서는 삼포 삼초를 강화하고 맺힌 가슴을 푸는 효과도 있다고 한다. 꼭 쥐고 쫙 펴주며 정확한 동작으로 너무 빨리하지 않는다.

-손가락 움직이기

양 손등이 위로 오게 하여놓고 손가락 10개 모두를 자유롭게 피아노 치듯이 움직이며 좌·우 쪽으로 오르락내리락한다. 열 번을 셀 때까지 올라가고 열 번을 셀 때까지 내려온다.

-손가락 접고 펴기

손가락을 엄지손가락부터 양손을 같이 순서대로 '하나'에서 '열'까지 접고 펴준다. 그다음 '열' '아홉' '여덟' 하면서 거꾸로 세면서도 접는다.

1. 손가락 엇갈리게 펴고 접기

한 손은 주먹을 쥐고 있다가 하나씩 펴고 한 손은 다 펴고 있다가 동시에 하나씩 접는다. 시작하면 동시에 접고 펴기를 한다. '열'까지 하고 나서 손 모양을 바꾸어서 한다.

2. 손가락 엇갈리게 펴고 접기

두 주먹을 쥔 상태에서 왼손은 엄지손가락, 오른손은 새끼손가락을 편다. 어느 한쪽으로 양손을 두고 놀이공원 가서 바이킹 배를 타듯이 왼쪽으로 움직이며 편 손가락 모양을 '바꿔'라고 말하며 바꾸기를 한다. 리듬을 타면 좀 더 쉽게 된다. 처음에는 주먹 쥔 손바닥이 아래로 가게 해서 하고 그다음 주먹 쥔 손바닥을 위로 보게 해서도 해본다. 느낌이 또 다를 것이다.

-손 털기

손등이 위를 보게 하여 팔을 '앞으로나란히' 하여 손목에 힘을 빼고 양손을 가볍게 50번씩 '탈탈' 소리를 내며 털어준다. 위쪽, 옆으로 나란히 하여 50번씩 같은 방법으로 한다. 이렇게 입은 소리를 내고 몸은 움직이고 뇌는 계산을 하면서 하는 입, 손, 머리가 동시에 움직일 때 최고의 치매 예방 효과가 있는 것이다.

-한 손의 엄지를 먼저 하나 접어놓고 세기

한 손은 엄지를 접어놓고 다른 한 손은 다 펴서 양손을 동시에 하나씩 순서대로 접어간다. '열' 하면 엄지 하나가 처음 모양으로 접혀 있으면 된다. 반대 손도 같은 방법으로 한다. 빨리하는 것보다는 무엇을 내야 할지 생각하면서 해야 뇌 자극 효과를 높일 수 있다.

-주먹 보자기 바꾸기

1. 한 손은 주먹을 꼭 쥐기, 한 손은 손가락사이가 벌어지게 쫙 펴서 가슴 앞에 든다. 하나' '둘' 구령하면서 양손을 번갈아 가며 반복 20회 정도 3세트 한다. 숫자를 거꾸로 세면서도 한다.

2. 이번에는 두 손을 들고 손바닥이 나를 보게 든다. 한 손은 주먹을 쥐고 한 손은 손가락끼리 붙이고 편다. 편 손의 손끝이 주먹을 쥔 손목 옆에 닿게 붙인다. 역시 '하나' '둘' 하면서 반대로 바꾼다. 잘되면 속도를 빠르게 해서 난이도를 올린다.

3. 위의 2번이 잘되면 '둘' 할 때 박수를 한번치고 반대쪽으로 바꾼다. 좌뇌 우뇌가 춤을 추게 될 것이다. 잘되면 속도를 빠르게 해서 난이도를 올린다.

-손가락 펴고 붙이기

양 손등이 나를 보게 하여 어깨너비로 펴서 든다. 다섯 손가락을 쫙 폈다가 다섯 손가락을 힘주어 붙인다. 반복한다. 한 번 할 때 30회 정도로 하고 손가락을 붙일 때 항문 괄약근도 힘을 주며 함께 조이며 한다. 소리를 내는 것이 중요하다.

-손가락 사이 누르기

한 손의 엄지와 검지로 다른 손 손가락들 사이를 꾹꾹 눌러준다. '다섯'을 셀 때까지 눌러준다. 반대 손도 한다.

-손깍지 바꾸기

양손으로 깍지를 끼고 오른손 왼손을 바꾸어 깍지 끼기를 한다. 손바닥끼리 떨어지지 않게 하며 바꾸기를 한다. 깍지를 바꿀 때 엄지손가락이 위아래로 바뀌게 된다. 월, 화, 수, 목, 금, 토, 일의 구음으로 해보고 거꾸로도 구음을 한다.

-손깍지 박수

손깍지를 끼고 있는 상태에서 손가락끼리 살짝 떼었다가 끼웠다가 하는 깍지박수를 약간 강하게 친다.

-손가락 아래로 보게 해서 당기기

한 팔을 쭉 앞으로 뻗어 손끝은 아래를 보게 하고 손바닥은 상대쪽을 보게 한다. 다른 손으로 약지를 몸쪽으로 당긴 다음 최소 5초 유지한다. 찌릿찌릿할 수도 있다. 뭉친 어깨를 푸는 데도 좋다. 약지, 중지, 검지 순서대로 반복한다. 반대 손도 한다. 팔을 쭉 뻗으면 시원해진다.

손가락이 아픈 사람은 조심스럽게 하거나 하지 않는다.

-손끝 당기기

손끝은 위로 보게 하고, 손등은 나를 보게 해서 쭉 편다. 반대쪽 손가락 4개로 펴져 있는 손가락 4개를 감싸 잡아 몸 쪽으로 지그시 당긴다. 10초 동안 하고 반대 손으로 바꾸어 한다. 손가락을 하나씩 조심스럽게 나를 보게 당겨도 된다.

-손가락 돌리기

열 손가락 끝을 서로 붙이고 엄지부터 같은 손가락끼리 돌리기로 한다. 두 손가락이 부딪치지 않게 돌린다. 거꾸로도 돌려준다. 잘 안되는 약지를 많이 연습한다. 한 손가락에 10~ 20회 이상해야 한다. 잘 안될 것 같은 약지도 반복해서 돌리면 잘 돌려진다.

-좌뇌 우뇌 활성화 손 흔들기

1. 두 팔을 편안하게 어깨높이에 들고 한 손은 좌우로 흔들어주고(손목이 가슴 쪽을 보게 된다), 다른 손은 위아래로 흔들어 준다

(손목이 앞으로 인사하듯이 된다). '하나' '둘' 하면서 반대로 바꾼다. 처음에는 천천히 했다가 잘 되면 속도를 빠르게 한다.

2. 위의 1번 동작이 잘되면 손을 바꿀 때 박수를 한 번 치고 같은 동작을 한다.

-손바닥 자극으로 뇌 활성화 효과 보기
1. 군대 박수
군인들이 박수치듯이 손바닥 끝에서부터 손가락 끝부분을 부딪치게 위에서 아래로 손뼉을 큰 동작으로 친다. 손바닥에 있는 뇌 경락 점과 몸속 장기 경락 점을 자극하게 된다. 손가락을 벌려서 손에 힘을 주고 약간의 자극이 있게 치면 더 효과적이다. 1초에 한 번씩의 속도로 30회를 친다.

손바닥에 열이 나고 우리 몸속 오장육부에도 열이 나게 된다. 주의할 점은 두 손이 부딪칠 때 마주 닿는 손가락끼리 잘 맞게 치려고 의식적으로 노력해야 뇌 활성화에 좋다. 횟수는 하루 중 틈틈이 하면 된다. 앞에서 말한 합장 박수와는 조금 다르다.

2. 기(氣) 순환 박수로 뇌까지 자극하기
손바닥 정중앙은 약간 들어간 부분이다. 이 들어간 부분은 위의 군대 박수나 다른 손뼉을 쳐도 자극이 잘 안된다. 이 부분을 자극하는 박수를 쳐보자. 한쪽 손의 다섯 손가락 끝을 모아서 새가 모이를 쪼듯이 반대 손 정중앙을 쳐준다. 이때 치는 손목에는 힘을 빼고 1초에 2번 치는 속도로 친다. 한 손을 한번치고 바로 다른 손 한번 치기로 바꿔친다. '탁탁'하는 느낌으로 친다. 찌릿찌릿하면서 시원한 느낌이 든다. 손끝 밑에 있는 수많은 모세혈관과 손바닥에 있는 장기의 경락들이 자극받아 뭉친 기(氣)가 순환되면서 자극이 뇌까지 전달된다. 결국 뇌 혈류량을 증가시켜 뇌 활성화에 좋은 활동이다.

-손 체조 정리하기

1. 편안한 자세로 허리를 곧게 펴고 앉아 손바닥을 위로 보게 무릎 위에 놓고 앉아서 고개를 좌우로 천천히 도리도리를 하며 몇 번 스트레칭해준다.

2. 천천히 멈추고 그 상태에서 코로 숨을 들이쉴 때 머리 꼭대기 정수리 쪽 백회혈에 구멍이 났다고 상상하면서 그 구멍으로 맑은 공기와 좋은 에너지가 쭉 빨려 들어온다고 생각한다. 그다음으로 내쉬는 호흡에서는 뇌의 나쁜 노폐물과 에너지가 백회혈로 빠져나간다고 생각하면서 천천히 입으로 내뱉는다. 2~3번 한다.

3. 몸의 혈액순환이 원활해진다는 느낌을 가지며, 얼굴의 긴장도 풀어주면서 뇌가 맑아졌고 편안하게 이완된 느낌을 상상해 본다.

4. 얼굴에 미소를 머금고 마무리한다.

*뇌 전체가 자극되면서 뇌세포들이 건강해진다.

*치매 자가진단 체크리스트를 해보자.

간단하게 치매 여부를 확인할 방법으로 조기에 발견하면 결과가 달라질 수도 있다.

⟨치매 자가진단 체크리스트 - 출처:중앙치매센터 ⟩

.주관적 기억 감퇴 설문(SMCQ)
01 기억력에 문제가 있습니까?
02 기억력은 10년 전에 비해 저하되었습니까?
03 기억력이 동년의 다른 사람들에 비해 나쁘다고 생각합니까?
04 기억력 저하로 일상생활에 불편을 느끼십니까?
05 최근에 일어난 일을 기억하기가 어렵습니까?
06 며칠 전에 나눈 대화 내용을 기억하기가 어렵습니까?
07 며칠 전에 한 약속을 기억하기 어렵습니까?
08 친한 사람의 이름을 기억하기 어렵습니까?
09 물건 둔 곳을 기억하기 어렵습니까?
10 이전에 비해 물건을 자주 잃어버립니까?
11 집 근처에서 길을 잃은 적이 있습니까?
12 가게에서 사려고 하는 2~3가지 물건의 이름을 기억하기 어렵습니까?
13 가스 불이나 전깃불 끄는 것을 기억하기 어렵습니까?
14 자주 사용하는 자신 혹은 자녀의 집이나 전화번호를 기억하기 어렵습니까?

6개 이상이면 경도인지장애 또는 치매의 가능성이 있으므로 치매 안심센터나 신경과로 진료받을 것을 추천한다.

.보건소에서 치매 검사를 하고 있지만 검사를 안 하시고 계시는 분들도 많다. 그래서 부모님이나 대상자를 처음 만날 때 이런 문항으로 체크해보는 것도 좋은 방법이다.

6장.

치매 환자와의 행복한 동행 법

치매는 아직도 완전한 치료법이 개발되지 않았다. 그런데 '누구나 언제든지 걸릴 수 있는 병'인 치매를 조기 발견하지 못했다면 본인과 가족들은 지금의 의학 기술로서는 치매와 함께 계속 살아가야 한다. 이럴 때 치매에 걸린 본인은 물론 돌봄자가 치매와 행복한 동행을 하기 위한 방법을 알아두면 곤란한 상황에 잘 대처할 수 있을 것이다.

아주대 정신의학과 홍창형 교수는 어느 TV 방송에서 청중들에게 이렇게 묻는 것을 보았다. "치매의 어떤 단계에서 어떤 치매일 때가 치매 환자를 돌볼 때 돌봄자가 가장 힘든 시기일까요?" 여기에 대한 답으로 그 교수는 "치매 환자의 상태는 돌봄자의 성격에 따라 달라진다."고 말했다. 이만큼 돌봄자의 역할이 중요하다는 것을 내포하고 있는 말일 것이다.

그래서 국가의 치매 정책은 치매 환자와 치매 가족 모두를 위한 치매 정책이 필요하다고 생각된다. 특히 주 부양자에게 우리는 관심과 힘을 실어 주어야 할 것이다. 주 부양자가 스트레스나 체력적으로 허약해지면 치매 환자도 덩달아 같이 상태가 나빠진다는 것이다.

휴머니튜드 케어를 아시나요?

휴머니튜드는 프랑스에서 시작되었다. 휴머니튜드는 환자를 환자가 아닌 사람으로 대하고 이들이 가지고 있는 감정, 감각, 근육 등을 그대로 유지하고 강화하려고 하는 치매환자 돌봄 방식이다.

다양한 국가에서 휴머니튜드를 통한 환자 돌봄 효과를 체감하면서 우리나라도 이 제도 정착을 위해 노력 중인 것으로 알고 있다. 치매 환자 돌봄이 필요한 가족이나 간병에 관련된 분, 의료시설 종사자 모두가 '휴머니튜드'를 먼저 알고 시작하면 대상자에게 질 높은 보살핌을 해드리게 될 것이라 본다.

휴머니튜드의 뜻은 '사람다움을 되찾는다'라는 의미의 프랑스어이다. 돌봄을 하는 대상자를 보살피기로 할 때 '나는 당신을 소중한 사람으로 여기고 있습니다.'라는 존중과 공경하는 상황이 휴머니튜드의 상태이다. 이것을 휴머니튜드 철학이라 한다. 내가 평소 생각하는 방향과 철학이 맞아서 관심 있게 공부한 부분이다.

돌봄자가 환자를 보살펴 드리면서 무언가를 무리하게 시키거나 강압적인 태도로 했을 때 환자가 통증을 표현하거나 두려움을 느끼게 한 것이면 휴머니튜드가 아니라는 것이다. 즉, 돌봄 과정이 강압적이었다면 그곳에는 '사람다움'이 없었다는 것이다. 환자를 위해서 허리가 휠 정도로 많은 힘을 사용하여 보살펴 드렸지만 돌봄을 받는 사람은 본인을 위해 친절하게 한다고 느끼기가 어렵게 되면 잘 대해드린 돌봄이 아니다.

돌봄에서 중요한 두 가지는 '대상자와 좋은 관계를 맺는 것'과 '상대의 할 수 있는 잔존 기능을 빼앗지 않는 것'이다. 먼저 대상자와 좋은 관계를 맺고 싶다는 생각보다 앞서야 할 것은 그렇게 생각하고 있음을 대상자가 이해할 수 있는 형태로 접근하여 그 진심을 받아들이게 해야 한다는 것이다. 즉, 전달하는 기술이 필요하다는 말이다.

두 번째로 '가지고 있는 잔존능력을 최대한 발휘할 수 있게 해드려야 한다는 것'이다. 요양보호사 시험공부를 할 때나 나의 교육원에서 시니어 교육 돌봄 자를 양성할 때 반드시 알려주는 내용이다. 그래서 나온 말이 있다. '잘하는 요양보호사가 좋은 사람이 아니라, 잘 시키는 요양보호사가 능력 있는 사람이다'라고 하는 말이다.

휴머니튜드 공부에서 배운 것이 생각난다. 40초만 설 수 있으면 그 대상자는 일어서서 침대 난간을 잡고 있는 동안 몸을 닦거나 다른 보살피기를 해드릴 수 있다고 했다. 충분히 잡고 설 수 있는 분을 누워서 보살피기로 할 때는 그 분의 잔존 기능은 점점 더 쇠약해질 수밖에 없어 돌봄자가 대상자의 능력을 빼앗는 결과가 되는 것이다. 돌봄자는 이 두 가지를 잘 알고 있는 것이 어떤 기술과 경력보다 중요하다는 것이 휴머니튜드 관리법이다.

그러면 친절함을 전달하는 기술은 어떻게 해야 하는 것일까?

휴머니튜드에서는 4가지 기법을 말하고 있다. '바라보기', '말하기', '접촉하기', '서 있기.'이다. 친절함이 전달되려면 이 네 가지 의사소통을 할 때 대상자가 '나를 사랑하고 있구나' 하는 것을 느끼게 전달하는 시간으로 만들어야 한다는 것이다.

그러나 의사소통이 잘 안되는 대상자를 상대할 때는 어려울 수도 있다. 이럴 때는 이런 방법이 있다. 내가 가장 사랑하는 사람이나 소중한 사람에게 '자신이 무의식적으로 하는 행동을 의식적으로 하면 된다'는 것이다. 돌봄자인 내가 소중히 여기는 사람을 어떻게 바라보고 있고, 어떻게 말을 걸며, 어떻게 만지는지를 되돌아보고 이것을 기술로 실천하면 된다는 것이다.

내가 아끼고 사랑하는 자녀나 젖먹이 아기가 앞에 있을 때 무의식적으로 하는 행동이면 충분하다. 휴머니튜드 돌봄자라면 누구나 알고 있어야 하고, 마음에 지니고 있어야 할 철학이다.

치매 환자의 일상생활 돌봄 원칙

 부모님이나 가족이 치매에 걸렸다고 하면 청천벽력 같은 마음일 것이다. 그래서 이제부터는 잘 해드려야지 하고 마음먹고 이것, 저것을 모두 해드리는 경우가 있다. 그러나 앞서 이야기했듯이 시간이 좀 걸려도 할 수 있는 모든 일은 본인이 할 수 있게 기다려 주는 지혜가 필요하다.

 사람에 따라서 그 증상과 진행 속도는 다를 수가 있다. 경도인지장애 진단을 받은 사람이나 초기치매 진단을 받은 사람 중에는 다른 사람 도움 없이 생각보다 잘 살아가시는 분이 계시는 반면 경도인지장애 진단을 받은 데에도 타인의 도움을 많이 필요로 하는 사람도 있다.

중요한 것은 할 수 없는 일들만 도와주어야 한다. 연민의 정으로, 성격이 급해 못 기다려서, 다칠 것 같아서라는 마음이 생길 수는 있다. 그러나 이렇게 되면 환자의 그나마 남아있는 잔존능력은 감퇴 될 것이고, 동기 저하를 꺾어 버리게 되는 것이다. 나중에는 할 수 있는 것도 가족에게 의지하며 안 하려고 하게 된다는 것을 잊지 말기 바란다. 일상생활 돌봄에서 돌봄 자가 알아야 할 규칙을 짚어 본다.

.일상생활은 규칙적으로 유지해 드린다.

치매 환자는 기억이 정확하지 않고 흐리기 때문에 항상 그 시간에 어떤 일을 할 수 있게 규칙적으로 일과를 짜드려야 한다. 아침은 7시에 드시고, 10시는 산보를 하는 등 항상 일정한 시간을 정하여 혼란스럽지 않게 해드린다. 환자의 성격에 따라 언제 무엇을 하면 좋아하는지 파악하면 더 좋을 것이다. 어떤 일을 할 때는 시간 감각을 항상 일깨워 드린다. "어머니 지금 아침 들고 계십니다." "지금 꽃구경 나왔으니 봄입니다." 등으로 시간과 계절, 장소 등을 자꾸 알려드려 현실감각을 깨워주는 것이 좋다.

.할 수 있다는 자신감을 느끼게 하고 칭찬을 자주 하자.

평소 일상에서 습관적으로 해 오던 것은 기억과 상관없이 초기에는 절차기억에 의해서 스스로 할 수 있다. 그러므로 칭찬을 많이 하여 남아있는 잔존능력을 최대한 활용할 수 있게 해야 한다. 치매 환자에게 제일 좋은 약은 칭찬인 것이다. 그렇지 않고 "아니 잘하던 이런 것도 못 하세요" 등 야단을 치면 환자는 혼란스럽기만 하지 그런 상황을 인지하지 못하고 감정만 다치게 되어 불안하게 되면서 정신행동 증상을 나타낼 수도 있다.

.도움이 필요한 것은 최소로 도와주자.

치매 환자는 자신이 모르는 것이나 못 하는 것이 있으면 불안해하는 경향이 있다. 정상인 우리도 이런 상황에서는 마찬가지이다. 돌봄자는 무엇을 어느 정도 도와주어야 하는지를 평소 잘 알고 있어야 한다. 적절할 때 도와서 자신감을 가지게 하는 것은 중요하다. 그러나 '못 하겠지?' 생각하고 너무 많이 도와주면 스스로 할 수 있어도 안 하게 되고, 혼자서 어려워하는 것을 너무 방관하면 좌절감에 빠지게 만든다. 더 중요한 것은 뇌와 신체의 쇠약으로 인해 치매의 진행 속도를 빠르게 불러오게 한다.

.부탁할 때나 도움을 줄 때는 간결하게 해드리자

일상생활에서 부탁하거나 도와주는 일에서는 한 번에 하나씩 지시해야 한다. "걸레 집어 보세요." "바닥을 같이 닦아요."하는 순으로 한 번에 하나씩 지시하고 간단한 문장으로 이야기해야 한다. "걸레 가지고 와서 바닥을 함께 닦아요" 하면 무슨 말을 들었는지 모르고 혼란스러울 수도 있다.

.반복 학습이 필요하다

치매에 걸리지 않은 사람은 새로운 것을 자꾸 배워야 새로운 신경세포들의 연결이 강화되어 뇌 활동이 왕성하게 된다. 그러나 치매에 걸린 환자는 새로운 것을 배우는 능력이 저하되어 새로운 것을 배우기는 쉽지 않다. 할 수 있는 것을, 끈기를 가지고 반복해서 알려드리는 것이 좋다. '반복은 기적을 낳는다'는 말이 있지 않는가. 환자의 작은 변화에도 큰 가치가 있음을 알고 감사하며 인내를 가지고 몇 번이라도 알려드리자.

.정서적 지지를 많이 해준다

치매의 증상을 먼저 아는 사람은 본인이다. '어떡하면 좋지? 앞으로 어떻게 되는 걸까? 아이고 어떡하나, 혼자서는 아무것도 할 수가 없구나!' 이런 생각으로 가장 걱정하고 불안한 것 역시 바로 환자 자신이다. 깜빡깜빡 잊고 실수를 하거나 할 수 있었던 일을 잘못하여 사고를 내는 등 여러 일들에서 환자 자신은 스트레스를 많이 받게 된다.

치매 환자가 모든 것을 귀찮아하거나 부정적인 행동을 보이는 것에는 이런 감춰진 슬픔이 있다. 그래서 정서적으로 따뜻하게 지원하는 사람이 필요하다. 수치스러운 이상한 행동을 했을 때도 무조건 나무라지 말고 상대의 입장을 생각하는 마음으로 이해해 주어야 한다. 반복되는 보살핌으로 돌봄자는 몸과 마음이 지칠 것이지만, 환자도 돌봄자도 사람다움의 존중을 받아야 한다는 것을 잊지 않아야 한다.

.몸 건강, 정신건강을 관심 있게 살펴보자.

치매 환자는 자기관리가 잘 안되기 때문에 이차적인 질병을 유발하는 경우도 많다. 환자의 평소 지병이나 신체 질환을 잘 살펴서 적기에 치료와 검사를 받는 것이 중요하다. 아파도 제대로 표현하지 못할 수도 있으므로 불편함을 가지고 생활하지 않는지 세심한 관찰과 관리가 필요하다.

.정신행동 증상이 나타날 때를 항상 대비하고 있자.

치매 환자의 정신행동 증상은 가족과 돌봄자의 관계를 악화시키고 서로의 삶의 질을 크게 떨어뜨리게 된다. 그러나 잊지 말아야 할 것은 문제가 되는 행동을 하고 있다는 것을 자각하지 못하고 있다는 것이다. 그래서 이상행동에 적절하게 잘 대처해야 안전사고 등 이차적인 문제를 예방하게 된다. 돌발적인 행동이 갑자기 과격하게 나타날 때도 있다. 이럴 때는 그 증상을 없애는 것은 불가능하다.

아무리 최적의 돌봄이라고 해도 병의 증상으로 나타나는 것이기 때문에 막을 수는 없는 것이다, 약 등을 통해서 그 증상의 강도나 빈도를 줄일 수밖에 없지만, 그래도 이런 상황을 항상 대비해서 돌봄자는 나름의 매뉴얼을 마음속으로 숙지하고 있어야 본인과 환자의 안전사고 등을 예방할 수 있다.

그리고 융통성을 가지고 환자의 편의를 최대한 제공하여 공격적 행동을 최대한 예방하는 것도 큰 지혜일 것이다. 정신행동 증상은 환자가 말은 못 하지만 신체적으로 아프거나 불편할 때도 나타난다. 문제와 원인을 명확하게 잘 파악하여 미리 대비해 주면 좋다. 하고 싶은 것을 억지로 못 하게 할 때도 그렇다. 최대한 무엇을 원하는지 알고 환자에게 편의를 제공하는 것이 현명한 일이다.

.치매 돌봄은 마라톤이라고 생각해야 한다.

치매는 짧은 기간에 완치되는 병이 아니다. 시간이 지남에 따라 단계별로 증상도 다르고 여러 가지 생각지도 못한 다양한 문제들이 일어날 수 있다. 앞에서도 말했듯이 치매 진단을 받고 나면 어떤 원인에서 왔는지 알고 나면 대강의 진행 상황을 예측할 수 있다. 발생할 수 있는 상황들을 알아서 미리 대비하면서 긴 마라톤이라고 생각하며 돌보아야 한다.

.갑작스러운 환경 변화는 치매 환자를 불안하게 만든다.

가족 중 부모님이 치매 진단을 받으면 "여태껏 여행도 못 가셨는데 ~."하면서 좋은 곳으로 여행을 모시고 다녀야겠다며 사람이 많은 장소나 낯선 곳으로 모시고 다닌다. 낯선 곳에 가려고 하니 당연히 무리한 일정이 될 수도 있을 것이다. 이렇게 사람이 많거나 익숙하지 않은 환경은 치매가 진행된 환자이면 편하지 않다. 낯선 환경은 불안해하고 예상하지 못한 정신행동 증상 등을 나타낼 수도 있다.

치매 환자가 환경 변화에 취약하다는 연구들이 있다. 영국 케임브리지대 토마스 코프 박사는 "모든 치매의 핵심에는 한 가지 중요한 증상이 있다. 상황이 갑자기 변하거나 진행될 때 대처하기 어려워한다는 것"이라고 말했다. 치매 환자는 익숙한 환경에 머물면서 모든 일이 계획대로 되면 큰 문제가 없지만 낯선 장소에 가거나 새로운 상황에 놓이게 되면 대처하기 매우 힘들다는 것이다. 치매 환자에게는 새로운 것에 대한 것은 그것을 알려주는데 더 많은 시간을 들여야 한다는 것과 어떤 변화가 있을 때도 반복해서 알려드려야 한다는 것이다.

.주 부양자의 건강은 치매 환자의 건강과 직결된다.

앞서 이야기했듯이 치매의 증상은 돌봄자의 성격에 따라 달라진다고 했다.

주 부양자가 정신적 신체적으로 소진 상태가 되면 그만큼 치매 환자의 상태도 나빠질 수 있는 확률이 높다. 큰 병을 앓고 있는 치매 환자를 부양하다 보면 "시간이 없어서~ "하는 말을 많이 한다. 내가 건강해야 환자도 건강할 수 있는 것이다. 자칫 주 부양자가 크게 아프게 되면 환자와 보호자 둘 다 불행해질 수도 있다. 주 부양자가 건강을 챙길 수 있도록 가족, 형제 모두의 관심이 필히 필요하다.

.지역 치매안심센터 도움을 적극적으로 받고 어려움과 정보도 교환하자

전국 256개의 치매안심센터가 2018년부터 치매 환자를 돕기 위해 전국에서 수준 높은 치매 관리 서비스를 제공하고 있다. 치매 가족모임, 자조모임(공통적인 문제를 가진 사람들이 모여 개개인이 도움을 얻는 모임) 등을 통해서 간병의 어려움과 치매에 대한 정보도 나누자. 치매가족 휴가제 등 돌봄자들에 대한 관리도 하고 있다.

인지향상 대화법으로 진행을 늦춘다

치매의 치료는 초기일 때 서둘러 진행을 더디게 만들어야 하고, 가지고 있는 기억을 최대한 유지할 수 있도록 하는 것이 최선이다. 치매에 대한 간호법과 의료지식이 있으면 다행이지만 그것도 아닐 때는 당황스럽고 고민스러울 것이다. 치매가 초기일 때는 아직 인지능력이 어느 정도 유지되고 있는 단계이기 때문에 대처 방법에 따라 회복이나 지연속도가 달라질 수 있다.

이때 당장 할 수 있는 것이 대화 방식을 바꾸는 것이 좋은 방법의 하나이다. 우리가 평소에 아무 생각 없이 그냥 하는 말들이지만 말할 때는 뇌에 많은 자극을 주고 있다. 상대의 말을 잘 들어야 하고, 그 말을 듣고 그에 맞는 대답을 생각해서 말해야 한다. 이럴 때 뇌 활동을 왕성하게 만드는 것이다. 평소와 다르게 치매 환자에게 맞는 대화를 하다 보면 의사소통이 좀 더 원활해진다. 이렇게 되면 환자를 움직이게 할 수 있는 계기도 생기게 될 것이다.

치매가 진행됨에 따라 기억력, 이해력, 언어력, 사고력 등의 인지 기능이 저하되어 타인과의 의사소통이 어려워지게 되면서 말 수가 줄어든다. 이렇게 되면 그만큼 사용하지 않는 부분의 뇌는 점점 퇴화하게 되는 것이다. 즉, 용불용설이다. 자주 사용하는 부분은 발달하고 안 쓰는 부분은 퇴화하는 것이다. 잘 듣는 사람과 잘 듣지 못하는 사람의 청각피질 부분의 영상을 보아도 잘 알 수 있다. 잘 사용하지 않는 청각 환자의 피질은 현저하게 줄어들어 있는 것을 볼 수 있다. 또, 중고도 이상의 치매 환자의 경우 대부분 옹알이 정도의 소리만 내거나 말을 못 하는 실어증이 오는 경우도 있다. 이렇게 되기 전에 많은 대화와 발음 연습으로 대화의 방법을 잊지 않도록 해야 하는 관심이 필요하다.

* 치매 환자와의 효과적인 의사소통법을 알아본다.

.항상 공감과 배려하는 대화를 하자

치매 환자가 아니더라도 대화의 기본자세는 상대방의 입장에서 생각해서 듣고 말하려고 노력하는 것은 모두가 알고 있는 사실이다. 치매 환자는 돌봄자의 마음이나 표정을 이해하지 못하므로 공감하는 표현이나 제스처가 없으면 무관심하다고 생각한다. 인간 대 인간의 존엄을 인정하며 공감과 배려심을 가지고 대화를 나누면 치매의 진행 속도가 느려진다는 전문가의 조언도 있다. 대화할 때는 적당한 거리에서 눈을 마주 볼 수 있는 배려 자세를 취하는 것도 중요하다.

.너무 크지 않은 목소리로 대화하자

급히 말하거나 큰 소리로 말하면 치매 환자는 혼란스러울 수 있다. 실내에서는 TV 소리 등을 낮추어 놓고, 말할 때는 말소리가 잘 들릴 수 있는 차분하고 안정된 분위기를 조성해서 대화해야 한다. 청력이 저하되신 분이라고 큰소리로 하면 잘 알아들을 것이라는 생각으로 고음으로 대화하는 경우가 많은데 잘못된 생각이다. 치매 환자가 아니라도 나이가 들면 '솔' 톤이 아닌 '미' 톤이 더 듣기가 편하다고 한다. 즉 우리의 생각과는 달리 큰소리로 들리는 것을 소음이라 생각하고 불쾌하게 느낄 수가 있다.

.간단하고 쉬운 단어를 사용하자

한 번에 한 가지씩 간결하게 이야기하고, 간단하고 이해하기 쉬운 문장으로 바꾸어 말하자. 이해하지 못하는 경우가 반복되다 보면 말하기를 꺼리게 된다. 말하는 횟수가 줄어드는 것은 결국 환자의 뇌를 더 망가지게 하는 것이다. 말을 할 수 있는 상황을 의도적으로 만들어 자주 소리내어 말하게 하자.

.환자의 상태에 맞추어 말하고 대화를 끊지 않는다

치매 환자의 상태에 맞추어 말하고 대답을 기다릴 때는 충분히 시간을 주어 편안한 마음으로 답하게 해야 한다. 그리고 대화를 하는 중에 환자가 말하고 싶을 때는 말을 멈추어 기다려 주고, "천천히 말씀하셔도 됩니다." 하면서 말하는 도중에는 끊지 않아야 한다.

.긍정적인 언어와 태도로 대화하자

긍정적인 언어와 태도를 유지하면서 칭찬과 격려의 말을 사용하여 환자의 자존감을 높이자.

"아 그러시군요" "그렇구나" 등 긍정적인 반응을 느끼게 되면 환자는 안심하고 대화에 적극적일 수 있게 된다. 이것이 바로 뇌를 활성화하는 치매 예방이 되는 의사소통 방식이 될 것이다. 돌봐 드리는 자가 환자와 주거니 받거니, 이야기하면서 치매 환자의 기분을 좋게 하는 것이 바로 약보다 더 좋은 치료가 아닐까 싶다.

.비언어적 수단 활용하자

언어로 의사소통이 어려운 경우에는 비언어적 수단인 만지거나, 손짓, 몸짓, 표정, 사진, 그림 등을 사용하여 대화 내용에 맞는 시각적 수단을 사용하는 것도 좋은 소통 수단임을 알자.

.추억을 활용하여 대화하자.

과거에 겪었던 경험이나 사건, 가족구성원의 일들, 이름, 자녀를 기르는 동안 기억에 특별히 남는 일, 추억의 장소 그때 그 시절의 영화나 노래 등을 가지고 '그런 일도 있었군요?' 하면서 대화하다 보면 불안한 마음이 가라앉고 심리적 안정감을 찾아서 편안한 의사소통을 할 수 있다. 아직 의견들이 일치된 것은 아니지만 우리 뇌는 과거를 떠올리면 자극을 받아 인지를 향상하고 정서적 안정을 주어 치매 예방에 효과까지 있다고 보고 있다. 이런 이점으로 치매 예방 프로그램에 회상 요법(Reminiscence Therapy)을 진행한다.

그리고 돌봄자는 환자의 지나온 이력과 환자가 무엇을 좋아하고 싫어하는지 특기는 무엇인지 등을 알 수 있어서 보살펴 드리는 데 도움을 받을 수도 있다. 간식 시간을 갖거나 할 때는 느긋하게 환자의 역사를 들어보는 것도 돌봄자는 환자에게 치매 예방의 시간을 갖게 해주는 의미 있는 시간을 만들어 주는 것이다.

.화를 내거나 반박하지 말자

잘못된 표현이나 엉뚱한 이야기를 할 때 지적하거나 '안 돼요'라고 하게 되면 당황하거나 감정적인 반응을 나타낼 수가 있다. 이런 대화법은 환자와 돌봄자 모두에게 이득이 되지 않는 의사소통법이다. 치매 환자는 돌봄자에게 부정적인 인식을 당한다고 생각하면 사람을 기피하거나 방에서 안 나오시게 되면 증상만 악화시키는 결과가 된다. 이렇게 되면 돌봄 시간만 늘어나게 되어 돌봄자의 수고가 더 크게 되는 것이다.

그래서 환자의 자존심을 건드리지 않게 대화해야 한다. 환자분 이야기의 사실 여부보다 환자의 상황이나 감정을 헤아려 봄이 좋다. 누구나 혼나면 무섭고 슬퍼진다. 어떤 상황에서라도 존중하는 태도를 갖고자 노력하자. 치매 환자는 최근의 기억이 존재하지 않다는 것과 악의나 고의가 아닌 병의 증상 때문에 그렇다는 것을 늘 잊지 말자. 인지능력이 저하했다고 해서 희로애락의 감정까지 없어지지는 않는다. 감정은 살아있는 치매 환자이다.

.많은 질문은 하지 말자

기억력을 테스트하듯이 이것저것 질문하지 말자, 질문의 양과 속도를 대상자의 인지능력에 맞게 조절하여 환자를 혼란스럽지 않게 해야 한다.

.부정적인 말은 사용하지 말자

"나가지 말라고 했잖아요" "하면 안 돼요" 하는 부정적인 말들은 치매 환자에게 불안감을 느끼게 하거나 자존심을 다칠 수 있게 하는 대화법이다. 치매 환자 중에는 배회 환자가 돌봄자를 체력적으로 소진 시키는 행동을 할 수 있다. 이 환자는 실종 위험이 있기 때문에 대부분 못 나가게 하면서 이런 부정적인 대화법을 사용할 수 있을 것 같기도 하다.

그러나 환자는 이유가 있어서 그런 행동을 할 수 있다. 기억의 장애나 장소나 인물이나 시간 개념이 안 되는 지남력 상실 때문에 환자는 현재가 아닌 자기만이 생각하는 그 시절 과거로 생각이 되돌아가 있을 수도 있다. 그래서 우리 집이 아닌 남의 집 같아서 옛날 내가 알고 있는 집으로 가고 싶어 하는 경우일지도 모른다. 안되는 것은 환자의 입장에서 이해해서 안 되는 이유를 설명해 주며, 항상 긍정적인 언어와 태도를 갖고 환자를 지지 격려해 주자.

.반복되는 질문에도 화내지 말자

최근 기억이 상실되는 것이 치매 환자에게서 나타나는 특이한 증상이다. 금방 들었던 기억이 수 분 내로 사라지는 것이다. 기억을 못해서 자꾸 물을 수도 있고 치매로 인해 혼란스럽고 불안을 느끼는 환자는 반복된 질문을 통하여 안정감을 찾으려 한다고 배웠다. 병으로 인해 자꾸 묻는 것이므로 끈기 있게 자꾸 대답해 주면서 편안하게 해드려야 한다.

.죽고 싶다는 이야기를 자주 하는 것을 간과하지 말자

치매 환자의 경우 정도의 차이는 있지만 50% 정도는 우울감을 보이는 것으로 나타나 있다. 환자 본인은 초기 기억력 감퇴가 자주 있게 되면 치매일지도 모른다는 불안감은 우리의 상상을 뛰어넘을지도 모른다.

치매 환자는 아무것도 모르는 것이 아니라 누구보다도 가장 많이 걱정하고 괴로워하고 슬퍼하는 사람일 것이다. 이런 우울감, 불안감, 혼란스러움 등으로 삶에 대한 의욕이 저하되고 무감동, 사기 저하 등 자신의 상황에 부정적인 생각을 갖게 된다. 생명 존중 교육에서 배운 내용에도 누구라도 '죽고 싶다는 것은 살고 싶다는 신호'라고 했다. 이런 호소가 지속적이라면 간과하지 말고 전문가의 도움을 받는 것이 좋다.

〈부록〉

모르면 손해 보는 치매 관련 복지제도

치매는 국가와 사회 구성원 모두가 책임져야 한다는 공감대가 형성되면서 국가가 다양한 지원 제도를 펼치고 있다. 정보가 힘이고 돈이 되는 세상이다. 정부에서 지원하는 복지제도를 놓치지 말고 잘 활용하여 정신적, 경제적 도움을 받도록 하자.

. '치매관리 선봉장' 치매안심센터가 하는 일
치매안심센터는 전국 보건소 내에서 치매 관련 사업의 실무적인 업무를 수행하는 곳이다.
치매안심센터에 따라 업무의 차이는 있을 수 있겠지만 대부분의 치매안심센터에서는
치매에 걸리지 않게 하기 위한 치매 예방, 조기진단, 보건 복지 자원 연계 및 여러 기관과 경로당 등의 시설을 다니면서 교육 등 유기적인 치매 통합관리 서비스를 제공하고 있다.

치매에 안 걸린 사람에게는 예방 교육을, 치매에 걸린 환자들에게는 중증으로 가는 것을 줄여 사회적 비용 절감을 위해서 적극적인 활동을 하고 있으며, 치매 환자를 돌보는 가족에게도 환자와 가족이 행복한 동행을 할 수 있게 '치매관리 선봉장' 역할로서 노력하고 있는 곳이다.

-치매안심센터에서 받을 수 있는 서비스는 아래와 같다. (중앙치매센터 내용 포함함)

.치매 예방 교육 및 인식개선, 치매 조기 개입·상담·등록·맞춤형 사례관리

.치매 환자 쉼터 운영, 각종 서비스 지원, 치매 가족 지원, 치매 예방관리

. 치매 공공 후견 사업

의사결정 능력이 부족하여 어려움을 겪고 있는 치매 환자에게 인간으로서 존엄성 및 기본적인 일상생활의 영위를 보장하기 위해 성년후견인을 이용토록 지원하는 제도이다. 혼자서 후견인의 선임이 어려운 경우 지방자치 단체의 장이 후견인을 정하여 가정법원에 후견 심판을 청구하고 이후에 선임된 후견인의 활동을 지원한다.

.후견 대상자

치매 환자(치매 진단을 받은 자), 가족이 없는 경우(가족이 있어도 실질적 지원이 없는 경우)

소득수준 저하자(기초생활수급자, 차상위자, 기초연금 수급자 해당), 학대·방임·자기 방임 개연성 등을 고려하여 후견 서비스가 필요하다고 기초단체장이 인정하는 자

. 주·야간 보호 센터

주·야간 보호센터는 노인성 질환을 앓고 계시는 어르신들에게 낮과 밤 시간 동안에 가족 대신 보호 서비스를 제공하는 기관이다.

. 단기보호시설

부득이한 사유로 노인의 일시적 돌봄이 필요할 경우 수급자를 월 9일 이내의 기간 동안 장기요양기관에서 보호하여 신체활동 지원과 심신기능 유지 등을 위한 교육이나 훈련 등을 제공하는 서비스다. 이용 가능 대상자는 장기 요양 1~5등급 수급자로 단기 보호를 제공하는 장기요양기관을 통해서만 이용 가능하다.

. 치매가족 연말정산제도

치매환자 가족들이 가장 많이 놓치는 대표적 지원책 중 하나라고 한다. 기본공제와 별도로 동거 가족 중 치매환자가 있다면 연말정산 소득공제 신청 시 소득세법 제51조에 따라 나이 제한 없이 1명당 연 200만 원의 인적공제를 추가로 받을 수 있다. 치매환자 가족의 경제적 부담 경감 목적인 인적공제 대상에 항시 치료를 요하는 중증환자(장애인) 범위에 치매환자가 포함되기 때문이다.

. 치매가족 휴가 제도

가정에서 치매가 있는 수급자를 돌보는 가족의 휴식을 위하여 치매 수급자는 연간 8일 이내에서 월 한도액과 상관없이 단기보호 급여를 이용하거나 방문요양급여를 1회당 12시간 동안 이용('종일방문요양급여'라 한다)할 수 있다.

. 치매 치료관리비 지원사업

의료기관에서 치매로 진단을 받은 환자로 치매안심센터에 치매환자로 등록된 자로서 치매치료관리비 지원을 받고자 하는 경우 이용할 수 있다. 연령 기준은 만 60세 이상이며, 초로기 치매 환자도 선정 가능하다.

기준 중위소득 120% 이하인 경우는 치매치료 약 처방전 사본 또는 영수증 기준으로 치매치료 약 복용 여부 확인 후 지원을 진행한다. 월 3만 원(연간 36만 원) 상한 내 실비 지원 가능하다.

. 치매환자 실종 시 무료 홍보물 제작지원
중앙치매센터 홈페이지 또는 치매 체크앱에서 실종노인 무료 홍보물 제작 신청도 가능하다. 경찰청에 실종 신고 시 접수된 사고 발생일로부터 1주일이 경과한 실종 치매 노인의 가족 중 신청자에 한해 무료로 홍보물을 제작 지원한다.

경찰서에 유전자 검사 요청도 가능하다. 국립과학수사연구원에 등록된 보호시설 및 정신의료기관의 무연고 치매 노인 유전정보와 가족의 유전정보를 대조해 실종자를 찾을 수 있다.

. 치매 치유 농장
치매 진단자, 정신질환자, 취약 어린이 등 의학적·사회적으로 보살핌이 필요한 사람을 대상으로 자연 활용 치유 프로그램을 제공하는 농장이다. 치유 농장에서는 농업·원예 활동에 참여하거나 동물들에게 먹이를 주며 육체적 건강을 유지하고 우울, 스트레스 감소 등 정서적으로도 다양한 효과를 제공한다.

. 치매 상담 콜센터

치매 상담 콜센터는 치매 환자나 그 가족, 치매에 궁금한 국민 누구에게나 치매 예방, 치료, 관리 등 전문적인 정보 및 치매 환자 가족에 대한 체계적인 심리상담 제공 등을 365일 운영(오전 7시~오후 10시까지)하고 있다.

전국 어디서나 국번 없이 '1899-9988'이며 이 번호의 의미는 '18세 기억이 99세까지, 99세까지 88(팔팔)하게 살라'는 의미이다. 치매 상담콜센터에서는 '돌봄 상담'과 '정보상담'을 해주고 있다.

돌봄 상담: 치매 환자 일상생활 케어기술, 정신행동 증상별 대처 상담, 치매 환자 가족의 돌봄 및 스트레스 관리, 정신적 상담 등
정보 상담: 치매원인질병, 치매증상, 치매검사, 치매치료, 치매예방법, 맞춤형치매관리서비스, 국가치매정책제도 등 치매에 대한 궁금점은 무엇이든 상담해 드린다.

-국민건강보험공단에서 관리하는 노인 장기 요양보험 혜택도 있다.
. 노인 장기 요양보험 제도

노인 장기 요양 보험제도는 혼자서 일상생활이 곤란한 65세 이상 노인과 치매나 뇌혈관성 질환, 파킨슨 질환 등 노인성 질환을 가진 환자가 서비스 대상이다. 노인성 질환 환자는 65세 미만이라도 해당한다. 신청접수는 국민건강보험공단 지역별 지사에 설치된 장기 요양보험 운영센터나(☎1577-1000) 시·군·구·읍면·동 주민 센터에

서 할 수 있다. 제공받는 서비스에는 재가급여(본인부담금 15%), 시설급여(본인부담금 20%), 가족요양비(매월 15만 원 지급)가 있다.

〈에필로그〉

뇌 건강 앞에서 나이는 정말로 숫자에 불과하다!

건강한 노년을 위한 비법 중 하나가 바로 '치매는 치료보다 예방'이라 강조했습니다. 그 비밀을 풀고 건강하고 행복한 노년의 문을 열어 가시길 바랍니다.

이 책의 여정에서 우리는 치매가 불치병도 아닌 난치병일 뿐이고 또 예방이 가능하다는 것을 알게 되었습니다. 우리 몸의 최고사령관인 뇌가 기억의 저장과 함께 사람답게 살 수 있게 하는 놀라운 성능을 유지하기 위해서는 적절한 관리와 투자가 필요하다는 것도 알았습니다.

이곳에서 다루었던 다양한 주제들은 우리가 선택하는 삶의 방식인 건강한 식습관, 꾸준한 신체활동, 정신적 도전, 사회적 교류, 기저질환 관리 등이 건강한 노년을 형성하는 중요한 단서들이었습니다.

이 중요한 단서들에 대한 활동 방법이나 대처 방법들을 되도록 쉽게 소개하여 건강한 뇌를 유지할 수 있도록 돕고자 노력했습니다.

우리는 더 이상 나이 들어 지혜롭게 살아갈 삶을 방해하는 치매를 너무 두려워할 필요가 없습니다. 대신, 그 예방에 대한 지식과 실천이 우리를 자유롭게 만들어준다는 것을 확신했으리라 믿습니다. 하루 일상의 거의 모든 것이 나의 뇌 건강과 관련되어 있다는 것은 중요한 사실인 것이었습니다.

치매에 대한 막연한 불안과 공포를 느꼈던 분들도 치매를 올바르게 알고 작은 위안과 도움이 되기를 바라마지않습니다.

치매는 예방이 가능하며 심지어 초기 단계에서는 관리와 치료의 수준에 따라 증상의 진행을 늦출 수도 있고 정상으로 되돌릴 수도 있다고도 했습니다.

'뇌 건강 앞에서 나이는 정말로 숫자에 불과합니다.' 중요한 것은 우리가 얼마나 건강한 생활방식으로 삶을 살아가는가에 달려있습니다. 이제 자신의 건강에 대한 주인이 되어 책에서 얻은 지식과 통찰력을 가지고 지금부터 바로 작은 변화를 시작할 때 우리 모두 치매 예방의 주인공이 될 수 있을 것입니다.

'아는 만큼 예방할 수 있습니다.' 그리고 우리는 모두 '할 수 있습니다' 이런 자신감으로 두려운 불청객 치매를 멀리하는 생활 습관을 만들어 치매 없는 밝은 미래를 향해 함께 나아가기를 소망합니다.

앞으로의 여정에 기억의 꽃이 활짝 피어나 인생 2막이 더욱 풍요로워지기를 바라며 글을 마무리합니다. 감사드립니다.

참고도서

뇌 1.4킬로그램의 사용법 - 존 레이티 / 21세기북스

두뇌성형 - 권준우 / 푸른향기

백년두뇌 - 하루야마 시게오 / 사람과 책

늙지 않는 뇌 사용설명서 - 가토도시노리 /OAH

치매혁명 - 요시다 가츠아키 / 북스타

치매 그것이 알고싶다 - 양영순 / 브레인와이즈

치매 걱정 없이 100세 살기 - 양기화 / 중앙생활사

치매와의 공존 - 윤승천 / 건강신문사

가족을 위한 휴머니튜드 - 이브 지네스트, 로켓 마레스코터 / DK

브레인 리부트 - 크리스틴 윌르마이어 / 부키

치매음식 - 시라사와 다쿠지 / 팬앤펜

치매전문의도 실천하는 치매예방법 - 엔도히데토시 / 현대지성

치매 진행을 늦추는 대화의 기술 - 요시다 가츠아키 / 아티오